# 「超」超勉強法

PRINCIPIA

## 超勉

潜在力を引き出す
プリンキピア

野口悠紀雄
YUKIO NOGUCHI

プレジデント社

Nur der verdient sich Freiheit wie das Leben,
Der täglich sie erobern muß.

Johann Wolfgang von Goethe, *Faust*

自由も生命も、日々の努力で獲得する者だけが享受できる。

ヨハン・ヴォルフガンク・フォン・ゲーテ、『ファウスト』

# はじめに
# 人間だけが「勉強」で運命を変えられる

## 「超」勉強法の3原則

本書は、勉強の方法について述べています。

「どのような方法で勉強するか」は、きわめて重要です。正しい方法で勉強しないと、いくら時間をかけても良い成績をあげることができません。

例えば、「数学の問題の解法は自分の頭で考え出せ」と言われるのですが、この教示は誤りです。

初めて出会った数学の問題を、自分の力だけで解こうとしても、できません。すると、「解法を考え出せないのは、私の能力が低いからだ」と落ち込み、数学が恐ろしくなり、成績が悪くなります。こうして、数学嫌いが大量に生産されるのです。**「自分の頭で考えよ」は、最悪のアドバイス**です。

本書は、「**数学の問題は、解き方を覚えて、それに当てはめればよい**」としています。数学は暗記だと割り切れば、成績が上がり、数学が好きになります。そして、ますます勉強します。

もう一つのポイントは、**平板に勉強せず、重点的に勉強する**ことです。勉強する対象のどれもが、同じように重要なわけではありません。そこで、幹と枝を区別し、重要なことに集中すべきです。成績が良い学生とは、この勘所が分かっている学生です。そして、重要な箇所を重点的に勉強している学生です。

本書はさらに、「基礎から一歩一歩進むべきだ」という方法にも異議を唱えています。数学で基礎ばかりやっていても、興味が湧きません。それよりは、「**ある程度理解したら、先に進んだほうがよい**」と主張します。部分を積み上げて全体を理解しようとするのでなく、全体を把握してから部分を理解したほうがよいのです。

英語の勉強も同じです。単語を覚え、文法でそれを組み立てるという方法ではなく、文章をひたすら丸暗記すべきです。つまり、英語を構成する「部分」である単語から出発するのでなく、最初から、文章によって「全体」を把握するのです。これも、普通に行なわれている勉強法とは違います。しかし、文章を丸暗記しない限り、外国語を習得することはできません。

以上で述べたことをまとめれば、つぎのようになります。

**1　問題の解き方を覚えて、それを当てはめる。**
**2　平板に勉強するのでなく、重要なところに努力を集中する。**
**3　全体を把握して、部分を理解する。英語は文章を丸暗記する。**

この勉強法は、私自身の経験から導き出したものです。私は、こうした勉強法が最も強力なものだと強く信じています。

ただし、これは通常いわれている勉強法とはかなり異質のものです。このため、「超」勉強法と称しています。右の原則は、**「超」勉強法の3原則**として、第7章で再論します。

本書は、主として学校での勉強を想定し、どうしたら良い成績を取れるか、そして入学試験に合格できるかを示しています。

ただし、「超」勉強法の有効性は、学校での勉強に限ったものではありません。社会人が勉強する場合にも、基本的な指針になります。資格試験のための勉強や、リスキリングにおいても偉力を発揮します。

成績が悪いと、「勉強は敵だ」と思うようになります。勉強は辛いものであり、嫌いだけれどもやらなければならない義務だと考えます。それによって、ますます成績が悪くなります。しかし、3原則に従った勉強をすることによって、成績が上がります。そして、勉強は苦しい義務ではなく、楽しいものになります。勉強は最も力強い味方だと実感できるようになります。それによって勉強がさらに進みます。

社会に出てからの仕事では、成果はさまざまな要因によって左右されるため、努力をしたのに成果が上がらないこともしばしばあります。運に左右されることもあります。しかし、勉強の場合には、結果が運に左右されることはほとんどありません。「超」勉強法の原則に従って勉強をすれば、確実にリターンがあります。勉強で得られる成果は、努力によって確実に獲得できる最大のものです。

私は、1995年に『「超」勉強法』（講談社）を上梓しました。数学が暗記だとか、英語の文章を丸暗記すべきだということは、ここで述べたものです。

この本は、幸いにして多くの方に読んでいただくことができました。そして、刊行後ずいぶんたってからも、「この本のおかげで受験に成功できた」という経験談を何度も聞くことができました。私の提唱した方法が、多くの方々の人生に役立ったのです。これほど嬉しいことはありません。

ところで、この本を書いたときから、勉強を進めるための技術は大きく変わりました。とりわけ変わったのは、情報を入手する方法です。インターネットを通じて情報を得ることが、飛躍的に容易になりました。

こうした変化にもかかわらず、「超」勉強法の有効性は変わりませんでした。むしろ、ますます強まったと、私は考えています。

この経験を通じて、「超」勉強法は技術の変化を超えて正しいものであると、私は確信しています。「超」勉強法の方法論は、知的活動の本質的な部分を捉えたものだと自負しています。だから、何度でも強調すべきものだと考えているのです。

本書は、『「超」勉強法』の基本的方法論を受け継ぎ、その後の経験を踏まえて、それを拡張したものです。

## 勉強によって、生まれたときの運命を克服できる

人間以外の動物は、生まれたときに運命を決められています。努力によってそれを克服するのは、まったく不可能といってよいでしょう。

人間の場合も、生まれたときの条件は人によって大きな違いがあり、それが人生に大きな影響を与えることは、間違いありません。しかし、人間は努力することによって、運命を変える

ことができます。努力の中で、勉強は最も重要なものです。**人間は、勉強によって、生まれたときの条件を克服できる**のです。勉強こそが、人間に無限の可能性を与えてくれます。勉強こそが、人間を他の動物とはまったく異なる存在にしているのです。

貧しい家庭に生まれながら、勉強によって国家の指導者になったベンジャミン・フランクリンやエイブラハム・リンカーン、やはり貧しい家庭の生まれで満足な学校教育を受けられなかったが、独学で勉強を続け、事業に成功したアンドリュー・カーネギー、ヘンリー・フォードなど、いくらでも例を挙げることができます。こうしたことが実現する社会は、健全な社会です。人々が勉強を通じて能力を高められることは、社会の発展にとって不可欠の条件です。

私たちの世代には、経済的理由で大学進学を断念した者が大勢います。その人たちの無念を、私はよく知っています。そうしたことがある社会は、「悪い社会」です。

その後、日本は豊かになり、経済的理由で進学を断念せざるをえないケースは、大きく減りました。大学に進学する機会も、多くの人に与えられています。**貧しい家庭に生まれても、教育の機会を活用して自分の能力を高め、無限の可能性を追求できます。経済的理由で大学に進学できなくとも、独学で勉強して資格試験などに挑戦し、新しい進路を切り開くことができます。**

ところが、今度は、子供たちが親から勉強を押しつけられるようになってしまいました。つまり、勉強は、辛いけれどもやらなくてはならない義務になってしまったのです。

こうなると、子供たちは逃げたくなります。経済的に恵まれた家庭に生まれ、望めばいくらでも勉学を続けられるにもかかわらず、勉強は嫌だと言って遊び呆けている若者もいます。こうした人たちを見ると、私は、大きな憐れみと強い憤りを覚えざるをえません。

勉強こそが人間に与えられている最大の贈りものであることに、ぜひとも気づいてください。

＊＊＊

本書のタイトルに使っている「プリンキピア」ですが、これは、ニュートンの（あるいは、ホワイトヘッド、ラッセルの）『プリンキピア・マテマティカ』*Principia Mathematica*（数学的原理）からの借用です（正確には、アイザック・ニュートンの著書は、*Philosophiæ Naturalis Principia Mathematica*。アルフレッド・ノース・ホワイトヘッドとバートランド・ラッセルの著書は、*Principia Mathematica*）。

およそ本を書いている者であれば誰しも、「タイトルにいつかプリンキピアを使ってみたい」と夢見ているでしょう。しかし、それは大それたことだと、自粛します。私もそうでした。

しかし、最近の日本では、タイトルに「大全」を名乗る書籍が増えているではありませんか。それなら「プリンキピア」を使うことも許されるかと考え、臆面もなく借用した次第です。

本書の刊行にあたっては、株式会社プレジデント社の村上誠氏、株式会社マーベリックの大川朋子氏にお世話になりました。御礼申し上げます。

本書は、2021年6月から2022年5月まで未来ネットで行なったオンライン講座『野口悠紀雄の小中高生に語る「超」勉強講座』を出発点としています。貴重な機会を与えてくださった未来ネットの故濱田麻記子氏に感謝します。

また、本書の一部は、「現代ビジネス」「ダイヤモンド・オンライン」に公開した記事を元としています。これらの掲載にあたってお世話になった方々に御礼申し上げます。

2023年2月

野口悠紀雄（のぐちゆきお）

超「超」勉強法

潜在力を引き出すプリンキピア

目次

## 第3章 丸暗記法で英語は完璧



## 第4章 文章で能力を評価される

## 第7章 いつまでも勉強を続けよう

## 図表

超「超」勉強法

潜在力を引き出すプリンキピア

第1章

# 数学は暗記だ

# 1

# ツルカメ算は「自分の頭」では解けない

## 「自分の頭で考えよ」は正しいか？

「算数や数学の問題の解き方は、自分で工夫して考え出さなければならない」と教えられます。そうしなければ、数学的な能力は身につかないというのです。

数学に限らず、さまざまな問題について同じことがいわれます。問題の解法は、自分の頭で考え出さなければならない。それによってこそ、新しいアイディアが生まれる。人のやり方を真似るだけでは、いつになっても創造的な人間になれない。こうしたアドバイスが、さまざまなところでなされます。

このアドバイスは正しいでしょうか？

私は間違いだと考えています。

その理由を、ツルカメ算を例にとって以下に説明しましょう。

## ツルカメ算の解き方（1）試行錯誤法

「ツルカメ算」とは、つぎのような問題です。ツルとカメが合計で12匹。足の数の合計は38本。では、ツルとカメは、それぞれ何匹か？

ツルカメ算は、小学校の学習指導要領に入っていないので、教科書には載っていません。したがって教室で教えることもありません。しかし、私立中学の入学試験には、しばしば出題されます。中学校を受験する場合には、どうしてもこの解き方を知っておく必要があります。

ツルカメ算の解き方としては、いくつかのものがあります。第1は、試行錯誤法です。

まず、ツルが0匹の場合について計算してみます。この場合は、カメが12匹になり、足の数は全体で12×4＝48本になります。つまり、多すぎます。だから、足の数が少ないツルの数をもっと増やす必要があることが分かります。

そこで、次に、ツルを1匹にしてみます。するとカメは11匹になるので、足の数の総数は46本となります。これでもまだ多すぎます。つまり、ツルの数がまだ足りません。このようにツルの数を逐次増やしていって、足の数の合計が38本になるまで計算を続けていくのです。

この方法で問題を解くことができます。確実に解けます。しかし、時間がかかります。入学試験の場合には、この問題だけに時間をかけるわけにはいきません。そこで、もっと効率的な方法が求められます。

## ツルカメ算の解き方（2）面積法

試行錯誤法より効率的にツルカメ算を解く方法として、「面積法」と呼ばれるものがあります。

図1－1で、FGの長さはツルの数を、GHの長さはカメの数を表すことにします。合計で12匹いるので、FHの長さは12です。

問題は、Gがどこに位置しているかです。これは、つぎのようにして見出すことができます。いま、DFをツルの足の数（＝2）、BGをカメの足の数（＝4）とします。すると、DFHCBEDが足の総数（＝38）を表すことになります。

一方で、長方形AFHCの面積は12×4ですから、48です。したがって、長方形ADEBの面積は、48－38で、10ということになります。

ところがADの長さは2ですから、DEの長さは10/2＝5ということになります。

これがFGの長さです。つまり、ツルは5匹です。そして、カメは、12－5で7匹ということになります。

図 1-1　**ツルカメ算：面積法**

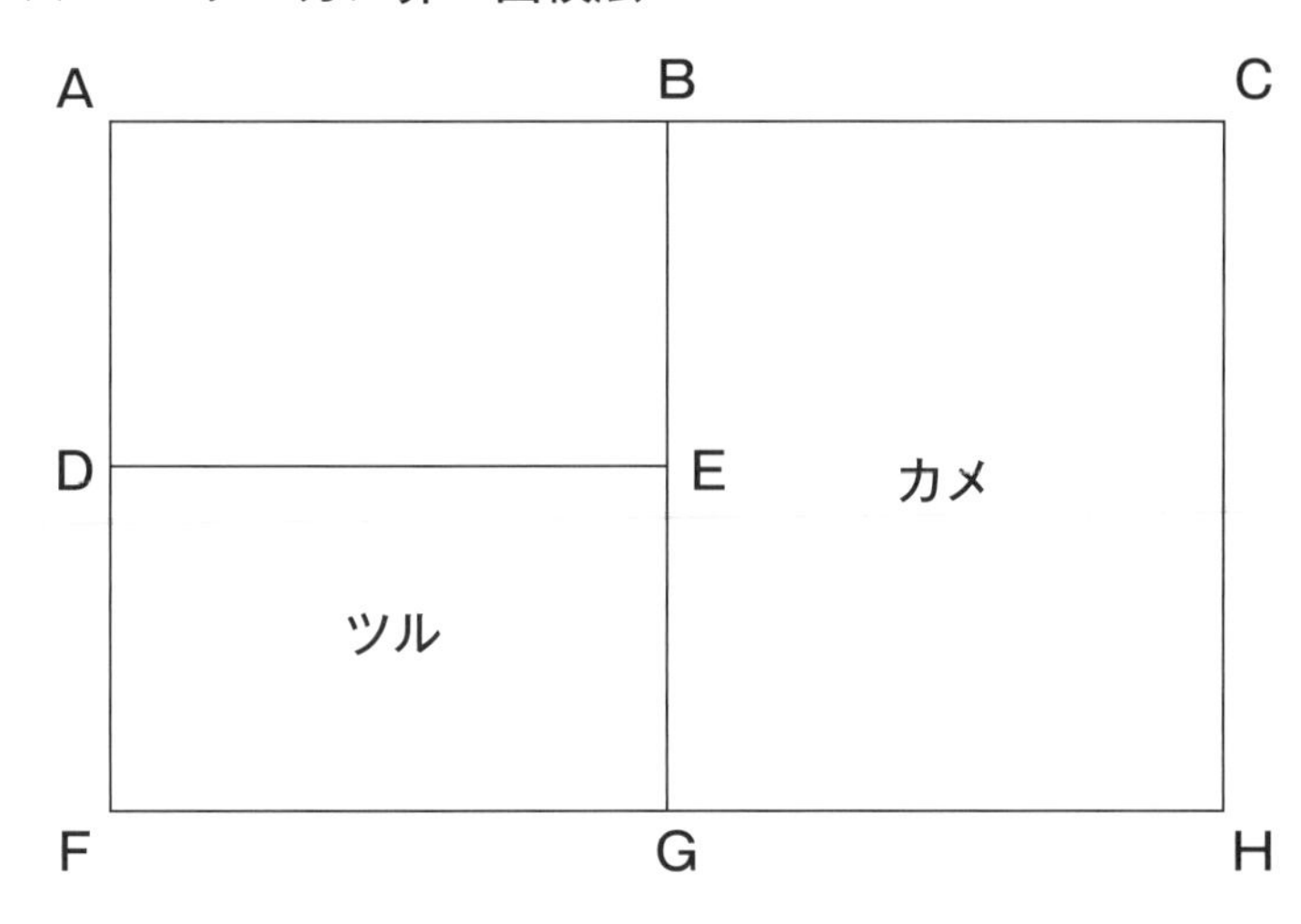


## 解き方を覚えていれば、すぐ解ける

このようにして、ツルカメ算を確実に、しかも時間をかけずに解くことができます。したがって、この方法を知っていれば、中学受験のときには有利になります。だから、学習塾では、この方法を教えています。

つまり、ツルカメ算は、問題の解き方を自分で考え出すのは非常に難しいのですが、解き方を暗記してしまえば、簡単なのです。

ツルカメ算と同じような問題は、他にもいろいろと作ることができます。例えば、「63円と80円の切手が合計で10枚ある。価格の合計は698円。では、各々は何枚か？」というような問題です。

あるいは、旅人算、ニュートン算、過不足算、仕事算などと呼ばれるものがあります。

これらについても、ツルカメ算と同じことがいえます。つまり、解き方を覚えればよいのです。

中学受験のために塾に通っている小学生は、このような問題をスラスラ解いてしまいます。大人が見ていて、仰天するほどです。それは、解き方を知っていて、それに当てはめるからです。単に、パタンに当てはめているだけなのです。

「ツルカメ算」は、それに初めて出会ったのであれば、簡単に解ける問題ではありません。実際、前項で紹介した面積法は、江戸時代の和算家、関孝和（せきたかかず）の高弟である建部賢弘（たけべかたひろ）が考え出したものだといわれています。こうした解き方は、覚えていて当てはめるのでなければ、とても使えないでしょう。ですから、覚えて当てはめるのは、ずるい方法ではなく、正しい方法なのです。

ツルカメ算を解けないのは、頭が悪いからではありません。**解けないのは、単に、解き方を知らないだけ**です。できない生徒は、自分で解き方を考え出そうとして、苦労している生徒です。

「答えを見ずに自分の頭で考えよ」と言われることが多いのですが、それより、解き方を覚えて、計算に習熟したほうがよいのです。

繰り返しますが、答え（解き方）を見るのは「降参」ではありません。このことは、ツルカメ算に限らず、算数・数学一般についていえます。この意味で、**算数や数学は暗記**です。

## 分数の計算も、理屈を考えると難しい

ツルカメ算と同じことが、計算法についてもいえます。

分数の足し算には、「通分して分母を同じ数に揃え、分子を足し合わせればよい」というルールがあります。あるいは、「分数の割り算は、除数の分母と分子を逆転し、除数と被除数の分母同士、分子同士を掛け合わせればよい」というルールがあります。例えば、3/4÷7/9は、3/4×9/7として計算します。では、なぜこうしてよいのでしょうか？

あるいは、2+3は順序を入れ替えて3+2としても、同じ答えになります。しかし、2−3の順序を入れ替えて3−2にすると違う答えになる。なぜか？　2÷3の順序を入れ替えて3÷2とした場合も、違う答えになる。なぜか？

2−3の順序の入れ替えは、−3+2にすべきだと言われるかもしれません。では、2÷3の順序の入れ替えは、何なのか？

こうしたことに即答できる人は、あまり多くないでしょう。この説明は、それほど簡単ではありません。しかし、説明ができなくても、計算ができればよいのです。

「なぜ正しいかを理解せずにただ計算をするだけでは、数学や算数の理解力は高まらない」と言う人がいます。「理由も分からずに、ただ教えられた方法に従って計算をしているだけでは、計算機械と同じことで、数学的な発想法は身につかない」というのです。しかし、この考えは

間違いです。

右に述べた演算の方法が正しいことを説明するのは、なかなか難しいことです。しかし、それにこだわるよりも、計算のルールを覚え、それに従った計算の訓練をすることのほうが重要なのです。

# 2 「数学は暗記だ」の一言で世界が変わった

## 答えを見るのは「降参」ではない

分数の計算では、多くの人が、ルールを覚え、それに従って計算をしていると思います。つまり、数学は暗記だとしてやっているわけです。ところが、分数の計算に限らず一般的に「数学は暗記だ」と言ってしまうと、ずいぶん乱暴な考えだと思う人が多いでしょう。

実際、暗記に疑問を呈する意見は、頻繁に出されます。

その意見によれば、数学は理解が重要なのだから、単に方法を暗記して計算をしても無意味だというのです。なぜその方法が正しいかを理解し、新しい問題に対しては、「自分の頭で解く方法を考えなさい」というのです。

私も、そうした意見から強い影響を受けていました。高校生のときまで、「数学の問題で、答えを見てしまってはいけない。自分で考えなくてはいけない」という強迫観念にとらわれていたのです。

答えを見るのはルール違反であり、「負け」だと考えていました。罪悪感すら覚えていました。解く方法を教えてもらって解くのでは、達成感がないとも考えていました。

いまでも、そうしたことを言う人や先生が大勢います。真面目な学生ほど、こうした意見に従わなければならないと考えます。

## 「どのパタンか」と考えればよい

数学の問題を解く際に最も強力な方法は、「この問題は、これまで解いたどの問題と同じタイプのものか?」と考え、そのとき使った方法に当てはめることです。問題の形を覚え、どのやり方を当てはめれば解けるかを判断し、それに従って解くのです。

学校の算数や数学についてこの方法が正しいことは、明らかです。どんな問題も、基本形そのもの、あるいはその変形、あるいは複数の基本形の組み合わせに還元できます。

ですから、どのパタンに当てはめればよいかが分かれば、解くことができます。少なくとも試験問題は、この方法ですべて解けます。

考えてみれば当たり前のことで、1時間や2時間という限られた時間内に、まったく独創的な方法を創造することが求められるはずはないのです。

中学受験の算数の問題は、専門の数学者が見ても厄介なものです。しかし、受験生はスラスラ解いています。小学生が解けるのは、問題のパタンを覚えていて、当てはめるからです。自分の力で独自の解法を編み出しているわけではありません。

したがって、**数学の成績を上げるための最も確実な方法は、「数学は独創」という思い込みをやめることです。そして、「数学は定型的パタンの当てはめ」「その意味で、暗記」と割り切ってしまうことです。**

このアドバイスは、逆説的に聞こえるかもしれません。あるいは、「点取り虫の姑息(こそく)な手段」として、反発する人がいるでしょう。しかし、これは真実なのです。

このような発想の転換ができれば、数学の成績は間違いなく向上します。試験の点が良くなります。そして、数学が好きになります。ますます勉強したくなり、ますます成績が良くなります。このような好循環過程に入ることが必要なのです。これは数学に限ったことではありません。勉強について一般的にいえることです。

逆に言うと、「自分が編み出した方法で解かねばならない」とこだわっている限り、数学の成績は良くなりません。すると、劣等感を持ちます。そして、数学が嫌いになります。数学の勉強をしたくなくなり、成績が悪くなり、ますます数学が嫌いになります。こうした悪循環に陥(おちい)ってしまうのが最大の問題なのです。

数学教師の最大の義務は、学生をこの固定観念から解放することです。

## 「数学は暗記だ」というS助教授の言葉で、目が覚めた

大学1年のときの数学の時間に、私にとっては大きな事件が起きました。

S助教授が、講義の途中に、「数学は暗記だ」と言ったのです。

この言葉を聞いて、私は目を開かされました（この先生は、その後、世界的な数学者となった、大変有名な人です）。

S先生は、これ以上詳しい方法論を言ったのではありませんが、「数学は暗記だ」だけで十分です。「数学は独創だ」という思い込みと強迫観念から解放されれば、それで十分でした。

それまでの私も、実際には「解き方を見てそれに当てはめる」という方法をとっていたのですが、その方法でよいという「お墨付き」を貰ったのです。

そのとき以来、私は、どの解き方のパタンに当てはめればよいかと、積極的に考えるようになりました。これを続けているうちに、理解が深まり、数学が好きになることが分かりました。

なお、本章の5で述べるように、「ツルカメ算」は、未知数と方程式という方法を使えば、実に簡単に解くことができます。これは中学生になってから学ぶ方法です。数学では、より進んだ方法を使うことによって、より簡単に解ける場合が多いのです。

つまり、ツルカメ算の面積法を覚えることは、数学の能力を高めることにはなりません。このように、基礎のところでぐずぐずしているのではなく、「完全に理解できなくてもいいからどんどん先に進む」という方法のほうが効率的である場合が多いのです。

# 3

# 暗記は詰め込みで、良くないことか?

## 「暗記は良くないこと」なのか?

以上で暗記の重要性を強調しました。これは、教育関係者が言うことと逆です。多くの教育関係者は、「自分の頭で考えよ」「創造する力が重要」とアドバイスします。教育関係者でなくとも、「暗記は良くない。自分の頭で考えよ」と言う人がたくさんいます。

「暗記」というと、有無を言わさず押しつけるだけで、理解という過程を伴わない。ただルールに従うだけだと考えている人が多いのです。そのため、暗記という方法は、「詰め込み教育」「ガリ勉」「点取り虫」などという言葉と結びついており、それに対して否定的なイメージを持つ人がたくさんいます。

そして、本当の教育は、もっと自由な発想ができるようにすることだというのです。「パタンに当てはめるだけでは、定型的な思考しかできない。自分で考えないと創造はできない」。

そして、「自由な発想が必要だ。そのためには、自分の頭で最初から考える必要がある」と言います。

しかし、本当にそうでしょうか？　この考えはインチキだと、私は考えています。

初めて出会ったタイプの問題に対して、「自分の頭で考えよ」と言われても、何も考えつかないのが普通です。ツルカメ算であれば、「未知数と方程式を用いれば解ける」という方法を暗記しているほうがよい。すぐに解けるし、何をやっているかを理解できます。

これは、専門の研究においても当てはまります。自分流の方法で進めるのではなく、先人たちが行なった業績を出発点にして、その考えに従ってできるところまで進む。そして、その方法ではどうしてもそれ以上に進めないところまで行って、新しいやり方を考えるというのが、正しい方法なのです。

したがって、**多くのことを暗記している人のほうが、独創性を発揮できます。「自分の頭で考えよ」というのは、「偽りの独創性」です。**これについては、本章の4で再び論じます。

## 文章を書くにも、ルールを覚える必要がある

以上では、数学の問題の解き方について考えました。文章を書く場合にも、同じことが言えます。「思いついたことを、思いついたままに自由に書きましょう」と言われるのですが、こ

れでは、自分の考えを他の人に正確に伝えることはできません。

考えを整理し、ルールに従って正確な文章を書く必要があります。文法や言葉の意味を正しく理解し、それに従って書く必要があります。

つまり、文章の書き方についても一定のルールがあり、それに沿った文章を書くことが必要なのです。これについては、第4章で詳しく述べることにします

同じことが、スポーツについてもいえるでしょう。自己流でやるのではなく、指導者について、正しい方法で体を動かす訓練をしなければなりません。

勉強も同じことです。**先人たちが作り上げてきた問題を解く体系が学問の体系なのであり、それを学んでいくことが勉強**なのです。それによって、これまでの人々が開発した知恵を最大限に使うことができます。

学校で、そのような勉強をする機会を与えられたことを感謝すべきです。われわれは、そこで人類の知的財産を学んでいるのです。学校制度は、人類の最大の発明です。

なお、本書では主に学校での勉強を対象としていますが、学校で学ぶことだけが勉強ではありません。独学も重要です。これについては、拙著『「超」独学法』（角川新書、2018年）、『人生を変える「超」独学勉強法』（プレジデントムック、2021年）を参照してください。

## 重要なのは「疑問を抱き、質問すること」

ここで誤解していただきたくないのですが、「数学は暗記だ」というのは、「疑問を抱いてはいけない」ということではありません。まったく逆であり、**疑問を抱くのは非常に重要**なことです。

ニュートンが「リンゴが落ちるのに、なぜ月は落ちないのか？」と疑問を抱いたのは、非常に重要なことだったのです。それが、物理学の体系を築き上げる出発点になりました。

日本人の学生とアメリカ人の学生の最大の違いは、質問をするかしないかです。

私がアメリカに留学して一番驚いたのは、学生がよく質問すること。しかも、「○○が分からないので、理由を教えてほしい」といった類の質問でなく、「あなたの説明は間違っているのではないか？」というような批判的な質問もあったことです。

日本人は、「質問をするのは自分の能力が低いためであって、恥ずかしいことだ」と思っています。しかし、そうではありません。

アメリカの教室でもう一つ印象的だったのは、教授が「それは良い質問だ」と、しばしば言ったことです。**質問とは、問題提起**なのです。実は、教授も質問によって触発されているのです。

私は、新聞や雑誌のインタビューをできるだけ受けるようにしています。なぜかといえば、

「良い質問」をしてくれる場合があるからです。問題を教えてくれるからです。

もちろん、すべてのインタビュアーが「良い質問」をしてくれるわけではありません。実に陳腐な質問しか出されない場合もあります。どんな質問をするかで、その人の能力がはっきりと分かります。

繰り返しましょう。重要なのは「自分の頭で考えること」でなく、「疑問を抱き、質問をすること」です。

てこの原理を発見したアルキメデスは、「我に支点を与えよ。そうすれば、地球を動かしてみせよう」と言いました。これに倣(なら)って、「我に疑問を与えよ。そうすれば、(地球は無理としても)かなりのものをひっくり返してみせよう」と言うことができます。

実は、受験勉強で欠けているのは、質問をする能力の訓練です。受験勉強だけをやっていると、与えられた問題を正確に解くだけになってしまいます。自分で問題を探し出してくることができないのです。これこそが大きな問題です。

受け身ではなく、能動的に勉強することが必要です。これは、解き方を覚えることと矛盾しません。

## 日本人は、批判的に読もうとしない

ＯＥＣＤ（経済協力開発機構）が実施しているＰＩＳＡという学力テストがあります。これは、15歳の児童の学力を測定する調査です（２０１８年は79カ国・地域が対象）。

日本人の成績はかなり良いのですが、２０１８年には、読解力のテスト結果が、それまでに比べて顕著に低下しました。これは、問題の性格がこれまでとは変わったためだろうといわれています。

それまでは、出題されている例文の内容が正しいものとして、それを正確に理解できるかどうかのテストでした。しかし、２０１８年のテストには、異なる性格の問題が出題されました。何人かの意見が示され、それらを批判的に読む（内容が正しいかどうかに疑問を持って読む）ことが要求されたのです。

日本人の学生は、「試験の問題に出てくる文章なら正しい内容のものだ」と決めてかかる傾向があります。したがって、疑問を持って、あるいは批判的な目で、文章を読むことに慣れていないのです。

# 4 「創造的剽窃行為」こそ重要

## 模倣なくして創造なし

以上で述べたことは、数学に限らず、勉強一般に関していえることです。そして、「過去にうまくいった方法に当てはめる」のが、数学の場合と同じように、最も強力な方法です。

しかし、数学の場合と同様に、こうした方法を批判する人が多くいます。「パタンに当てはめるだけでは、定型的な思考しかできない。自由に発想しないと創造はできない」と言うのです。

しかし、発想とは、無から有を生み出すことではありません。既存のアイディアを組み替えることです。まったく一から創造するということは、普通はありません。**「模倣なくして創造なし」**なのです。

## ビジネスの問題も、「自分の頭」では解決できない

ある企業の新入社員研修プログラムの中に、「問題に突き当たったら、自分の頭で考えよ」と書いてありました。

これを書いた人は、実は、他のマニュアルにそう書いてあったことをただ書き写しただけなのだと思います。まさにこの人こそ、「自分の頭で考えていない」のです。

実務においても、「問題を解決するにはどういう方法があるのかを学び、いま直面している問題にそれを当てはめる」という方法しかありません。それによってしか、問題は解決できないのです。

「自分の頭で考えよ」と言う親や先生や上司は、何も有益なアドバイスをしていません。その人たちが本来提供すべきは、「こういう事例があった。これが参考にならないか？」という情報です。

他のところで用いられている方法を借用することで大成功を収めた事例は、ビジネス史上、いくつもあります。

例えば、グーグルの検索エンジンは、検索結果を表示する順序を、２００を超える基準によって判断しているといわれますが、そのうち最も重要な基準の一つは、サイトへのリンク数が多い順に検索結果を表示することです。これによって、重要なサイトを簡単に見出すことを

可能にしました。これは画期的な発明であり、これがその後のグーグルの大発展の出発点になったのです。

ただし、これはまったく新しいアイディアとはいえません。これを発明したのは、当時、スタンフォード大学の学生であったラリー・ペイジとセルゲイ・ブリンですが、大学院の学生であれば、引用される数によって論文の重要性を判断することは、ごく普通にやっていることだからです。

## 巨人たちの肩に乗って進んだ

専門の研究者も、まったく独自の発想に従って問題を解決したのではなく、これまでの学問の蓄積の上に乗って、新しい理論を構築してきました。

ニュートンは、「私は巨人たちの肩に乗って仕事をした」と言っています（ただし、この言葉の原典は、12世紀のシャルトル学派の総帥ベルナールの言葉だとの説もあります）。先立つ多くの人が残した業績の上に、少しだけ新しいものを付け加えたというのです（もちろん、ニュートンが付け加えたものは、われわれの基準から見れば、途方もなく大きなものですが）。

物理学の方法論も、基本的にはこれまで述べてきたものと同じです。つまり、「古いアイディアを再利用する」のです。例えば、水素原子のモデルは、陽子のまわりを電子が回るというものですが、これは、地球のまわりを月が回るモデルを借りたものです。このモデルは、水素原子のさまざまな挙動をうまく説明します。

宇宙物理学者のローレンス・クラウスは、「（物理学の）重要な革命のほとんどは、古いアイディアを捨てることによってではなく、なんとかそれと折り合おうとした結果得られたものだ」と述べています。[*1]

その例として、アインシュタインの相対性理論を挙げています。相対性理論は、それまでの物理学を否定するのではなく、それをできるだけ維持するという立場から作られたものです。「等速運動する観測者の間で物理法則は同一」という「ガリレオの相対性原理」と、「どの観測者にとっても電磁波の伝播速度は同一」という「マクスウェルの理論」を両立させるには、「時間や距離が変化する」という考えをどうしても持ち出さざるをえなかったのです。

## 「創造的剽窃行為」こそが重要

1978年のノーベル化学賞受賞者ピーター・ミッチェルも、相対性理論について同じ説明

＊1　R・クラウス（青木薫訳）『物理の超発想』、講談社、1996年

をしています。そして、「若い研究者が心がけるべきことは、最小の変革ですむように考えることだ」「古いアイディアを剽窃（ひょうせつ）して、何にでも使ってみよ」「新しい問題をすでに解決済みの問題に焼き直せ」と言っています。[*2]

クラウスは、これこそが、最先端の現代物理学まで連綿と続く物理学の基本的方法論だとし、つぎのように言っています。

「新発見がなされるとき、いつも中心的役割を果たすのは、抜本的に新しいアイディアである——こんな言葉を信じている人もいるのではないだろうか。しかし、本当のことを言えば、たいていはその逆なのだ。古いアイディアは生き延びて、あいかわらず多くの実りをもたらしてくれることが多くある」

「古いアイディアの焼き直しが毎度のようにうまくいったから、物理学者たちはやがてそれに期待するようになった。新しい概念もたまには登場するけれど、その場合でも、既知の知識の枠組みからむりやり押し出されるようにして生まれてきたものにすぎない。物理学が理解可能なのは、まさにこの創造的剽窃行為（creative plagiarism）のおかげだ」

経済学でも、歴史を変えた本はいくつかあります。それらは、それまでの理論の上に立っています。しばしば、「いまの世界を根本的に良くする方法」などというアイディアがありますが、中身は何もありません。これらは、偽りの独創性に過ぎません。

## 模倣からの脱却

通常は独創的な発想が必要と思われている数学や物理学においても、以上で述べたように、「模倣なくして創造なし」という原則が正しいのです。

ただし、誤解のないように、つぎの点を述べておきましょう。それは、「模倣なくして創造なし」とは、「創造に至る出発点が模倣だ」ということです。模倣だけに留まっていては、進歩がないことは明らかです。

「パタンに当てはめるだけでは、定型的な思考しかできない」という批判に一定の真理が含まれていることは、事実なのです。既存のパタンに束縛されると、自由な発想ができません。多くの問題は定型的パタンの当てはめで解けますが、それに終始しては限界があります。パタンの当てはめと、それから脱却しようとする努力を適切にバランスさせることが必要なのです。ただし、これは、きわめて難しい課題です。

もっとも、これは専門の研究者の場合です。学校での勉強に関する限り、新しいものを付け加えることは要求されていません。これまでの知識の体系を正しく学ぶことだけが要求されて

＊2　三浦賢一『ノーベル賞の発想』、朝日選書279、朝日新聞社、1985年

います。

それだけで、学校の試験も通るし、入学試験も通ります。中学の入試から大学入試に至るまで、新しいものを創造する能力がテストされることはありません。テストされるのは、これまでの方法を理解し、それを使えるかどうかです。ですから、「点取り虫、大いに結構」ということになります。それこそが求められていることです。

# 5

# 連立方程式を使えば、ツルカメ算は簡単

## 進んだ方法を使えば、ツルカメ算は簡単に解ける

本章の1で、ツルカメ算を解くための「面積法」を紹介しました。面積法を覚えれば、未知数が2つの場合のツルカメ算は解くことができます。

ところが、この方法には発展性がありません。ツルカメ算とその変形問題は解けますが、その他の問題にこの方法を応用できるわけではありません。ツルカメ算のようなことが受験で必要とされるのは、大きな問題だと思います。なぜこんなものが私立中学校の入学試験に出てくるのか、不思議です。

ツルカメ算は、連立方程式の方法を用いれば、以下のように簡単に解くことができます。

ツル＝$x$匹、カメ＝$y$匹とします。これらについて、つぎの2つの条件が満たされなければなりません。

$x+y=12$　（1）

$2x+4y=38$　（2）

（1）が全体の数に関する式。（2）が足の数に関する式です。

（1）から$y=12-x$となるので、これを（2）に代入すれば、$x$だけの方程式$2x+4(12-x)=38$が得られます。

これを解くと、$x=5$となります。そして$y=7$です。

複雑なパズルのように見えるツルカメ算ですが、連立方程式という強力な方法を用いれば、簡単に解けるのです。

この方法は中学生になって習うことになっていますが、本当は小学校でこの方法を教えるべきだと思います。

## 連立方程式で考えれば、意味がよく分かる

連立方程式の方法によれば、さらにいろいろなことが分かります。

未知数が2個の場合には、方程式（条件式）が2つ必要であることが分かります。一般に、

未知数がn個なら、n本の方程式が必要です。

未知数が2個あり、方程式が1本しかない場合には、解は無限にあります（これを「不定」といいます）。この場合は、「情報が不足している」のです。この意味は、次項で、もう一度考えます。

未知数と同じ数の方程式があるだけでは、十分ではありません。それらの方程式は、「独立」でなければなりません。ある方程式を定数倍すると他の方程式になるようであれば、独立とはいえないのです。

ツルカメ算でなく、$x$が犬で、$y$がカメである「犬カメ」算の場合、総数について$x+y=12$、そして足の数については、$4x+4y=48$です。この場合には、最初の式を4倍すれば2番目の式になるので、これらは独立ではありません。

これらの条件を満たす解は、$x=5$、$y=7$の他に、$x=6$、$y=6$など、無数のものがあります。また解がない場合もあります。例えば、$x+y=12$、そして、$4x+4y=64$というような場合です。これらの条件は矛盾しているのです。

なお、連立一次方程式を解くのはきわめて簡単ですが、何を未知数とし、何を方程式とするかという判断が必要です。ツルカメ算の場合には、ツルとカメの数をそれぞれ$x$と$y$で表せばよいことはほぼ自明ですが、それ以外の問題について、どのような未知数を設定するかが、それほど簡単ではない場合もあります。

## 連立方程式を図に表すと、さらによく分かる

右に述べた連立方程式による解法は、図で示すことができます。図1－2には、$x$軸にツルの数、$y$軸にカメの数を示してあります。

条件式は2つあります。第1は$x+y=12$という式。図1－2では、これは直線ABによって表されています。点A（$y$軸との交点）の$y$座標は12で、点B（$x$軸との交点）の$x$座標は12です。

第2の条件式は、$2x+4y=38$で、これは図1－2では直線CDによって表されています。点C（$y$軸との交点）のy座標は38／4で、点D（$x$軸との交点）の$x$座標は19です。

2つの条件を満たすのは、直線ABとCDの交点Eです。この$x$座標は5で、$y$座標は7です。

## 不定、独立、不能などの意味が分かる

連立方程式をこのように図で表してみると、いくつかのことが分かります。

先に、未知数が2個あり、方程式が1本しかない場合には、解は無限にあると言いました。

図 1-2　**連立方程式でツルカメ算を解く**

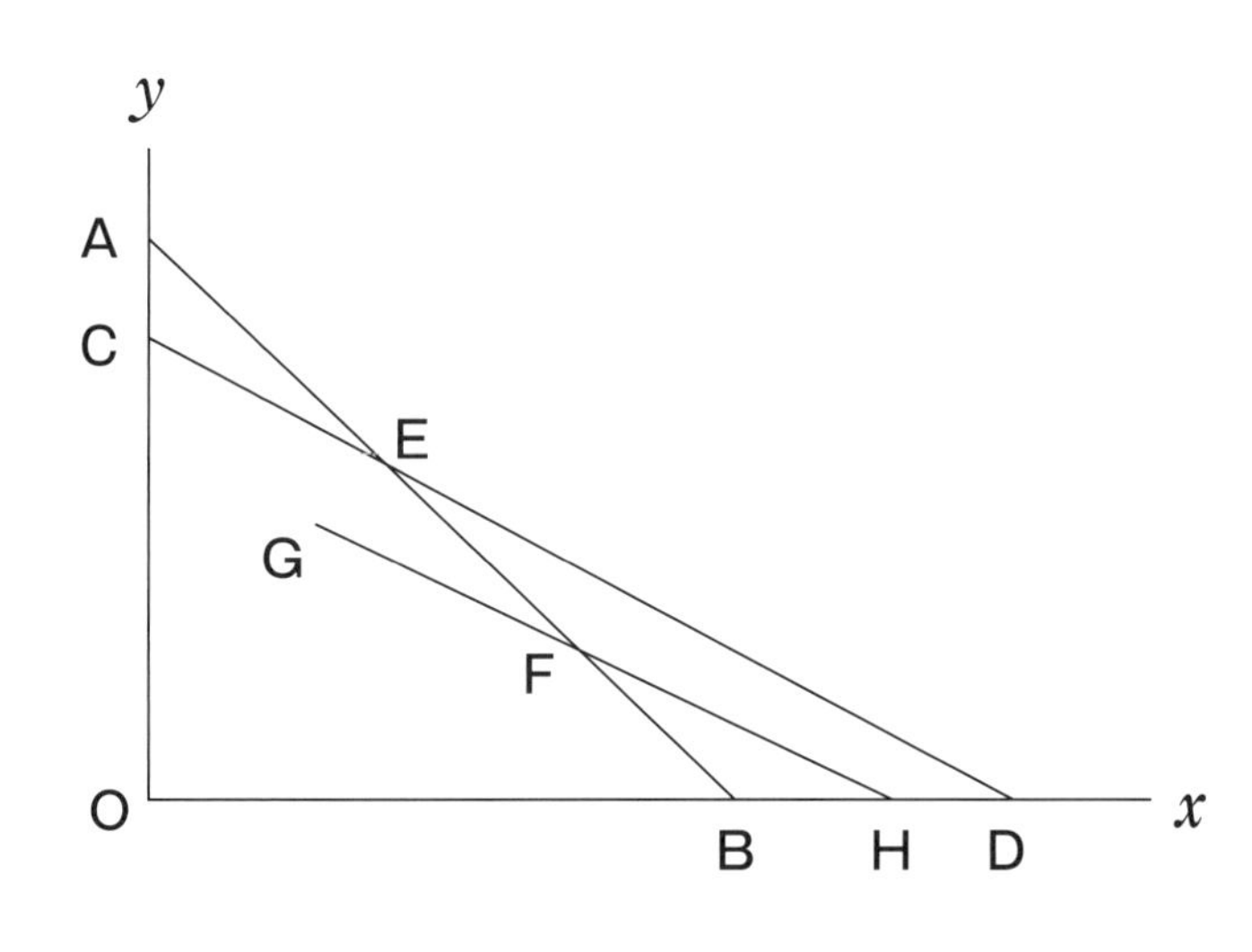


これは、例えば直線ＡＢだけが条件として与えられている場合です。この場合、線分ＡＢ上の点はすべて解です。つまり、不定です。

また、２つの条件式は独立である必要があると言いました。これは、直線ＡＢとＣＤが同一ではないことを意味しています。

また、２つの直線が平行であれば、解は存在しないことになります。２つの条件は矛盾しているのです。この場合に、連立方程式は「不能」であるといいます。

ツルカメ算の場合には、解は正でなければなりません。つまりＡＢとＣＤは第１象限で交わっていなければなりません。

なお以上では、未知数の数が2個だけなので、このような2次元の図で表すことができました。未知数が3個以上になると、3次元以上の表現が必要になるので、このように紙に書くのは難しくなります。3次元の場合には、条件式はＡＢやＣＤのような直線ではなく、平面になります。2つの平面の交わりは、直線になります。

## 連立方程式はもっと早く学ぶべきだ

このように、連立方程式を用いれば、実に簡単に問題を解くことができます。「できるだけ早く進んだほうがよい。進んだ方法を用いれば、それ以前のことがよく分かる」のです。いま述べたツルカメ算を連立方程式で解くのは、その典型例になっています。受験を制覇するためにも重要ですし、その後の仕事で、さまざまな問題を解くのにも役立つでしょう。

算数・数学の学習指導要領によると、小学校で四則計算を習い、中学校で方程式、高校の最後で微分法・積分法（数学Ⅲの場合）を習うという流れになっています。しかし、方程式はもっと早い段階で勉強すべきです。

# 6 できるだけ早く先に進む

## 「基礎から積み上げよ」は正しいか？

「勉強は、基礎から徐々に積み上げよ。基礎が大事」といわれます。基礎がしっかりしていないと、応用ができない。登山で、麓（ふもと）から一歩一歩登るように、基礎から順に進まなければならないというのです。基礎をしっかり理解してからでないと、先に進んではいけないということです。

しかし、基礎は難しいし、退屈です。「教科書の最初のページが完全に理解できてからでないと、つぎのページに進んではいけない」と考えると、なかなか進めません。

完全に理解することができないので、そこで立ち止まってしまう。これが一番良くないことです。真面目な学生ほどそうなります。

## 数学ではことに基礎が難しい

基礎が難しいのは、数学において、とくに顕著です。

例えば、数の概念。3かける4はなぜ12なのか？　これを説明するのは、そう簡単ではないでしょう。

平行、直線などの概念もそうです。平行とはどこまで行っても交わらないことだというけれど、どこまでも行くことはできない。それを、どうやって確かめるのか？（実は、これは定義なので、そのまま受けいれるしかないのですが）

直線は2点を最短距離で結んでいる。では、最短距離とはいったい何か？　どうやって確かめられるのか？

物理学でも基礎概念は難しい。「光は直進する。最短距離を走る」というのですが、光は、どうやってその経路を見出しているのでしょう？　誰に聞いても分からないので、誰もがいい加減に理解しているのだと思います。

多くの人は、これらについて、曖昧(あいまい)に理解しただけです。あるいは、単に覚えたのです。しかし、それでよいのです。

微分積分法は、物理学の問題を解くために、重要な道具です。ところが、この基礎になっている数学の理論は、大変難しいものです。とくに連続性の概念が難しい。しかし、それが理解できなくとも構いません。微分積分法の公式を覚えて、実際の問題に当てはめるだけでよいのです。

「そんなことをすると、間違ったところに微分法を使うことになる」という批判があると思います。確かにそうした危険はあります。しかしそれよりも、微分方程式を解くことのほうが、はるかに重要だと思います。

誤解のないように申し添えますが、私は基礎を無視してよいとか、やらなくてよいと言っているのではありません。学ぶ際の順序を問題にしているのです。

解析学の基礎である「連続性」という概念は難しいけれども、分かれば一挙に理解が広がります。

私は、実数が連続していることを初めて理解したときの感激をいまでも忘れられません。高校生のときに、高木貞治『解析概論』（岩波書店）を読んで、「デデキント切断」の概念に出会い、実数の連続性の意味が理解できたのです。ただ、これは、微分法を使えるようになってから後のことです（『解析概論』は、戦前の旧制高校での教科書、参考書です。新制高校の生徒がこれを読んでいたのは、級友の間で、背伸び競争、自慢競争があったからです）。

## 8割分かったら先に進む

以上から分かるのは、「基礎が分からなくてもよいから、とにかく進んでしまうのがよい」ということです。これを、「数学は真ん中からやれ」と言った人もいます。

例えば、数学には公式がいくつもあります。その導出法を理解しなくてもよいから、使えばよいのです。使っているうちに、公式の意味がだんだん分かってきます。

基礎が難しく退屈なのは、何のためにこういうことをやっているのかがよく分からないからです。先に進んでみると、基礎の意味がよく分かります。微分方程式は物理の問題に応用すれば、その意味がよく分かります。ただし、2次関数も知らずに微分法は使えません。だから、「真ん中から」ということになります。

理由はよく分からなくとも、それは一時棚上げして、とにかく使い方を丸暗記し、そして先に進めばよいのです。どうしても分からなかったら、無理しなくてもよい。やがて分かります。

では、「棚上げ」をしてよい基準は何でしょうか？　やや乱暴な言い方ですが、「8割分かったら先に進む」ということでよいと思います。10割分からなくてもよいのです。

## 英語も、単語や文法だけでは退屈。文章を覚える

英語の勉強も、単語を覚えたり、文法を覚えたりするだけでは、少しも面白くありません。

それよりは、シェイクスピアの作品を覚えるほうがずっとよい（こうした勉強法について、第3章で述べます）。

国語で漢字の書き方だけ勉強していても面白くありません。PC（パソコン）を使って文章を書けるようになったので、漢字は、書けなくとも読めればよい時代になりました。最近では、音声認識機能が発達して、話すだけで文章が書けるようになりました。漢字を書く試験は、やめにしてほしいものです。

それより、質の高い文章をたくさん読むほうがよい。そうすれば自然に良い文章の書き方が身についてきます。漢文の素読は、意味も分からずに読んで、覚えています。それでよいのです。

以上の方法論をまとめると、「分からなくても、先に進め」ということです。基礎を完全に習得してから先に進むのではなく、とにかく進む。

これは、もっと実践的な場面でも成り立ちます。例えば、「スマートフォンの使い方の基礎」などというのを習熟しようとしても、少しも面白くありません。それよりは、スマートフォンを実際に使って何かをやってみるほうがずっとよい。そうすれば、スマートフォンに興味が湧いてくるでしょう。

## 高いところに行けば、下界がよく見える

なぜ先に進んだほうがよいのでしょうか？　それは、先に進めば、前に分からなかったことが自動的に分かるようになるからです。

山登りのとき、麓(ふもと)の山道では、視界が開けません。だから、面白くありません。登っていって視界が開けると、楽しくなってきます。

そして、頂上に行けば、山の周囲がどうなっているかを一望することができます。大げさに言えば、世界の構造がどうなっているかが分かるのです。

勉強も、これと同じです。あるところまで来れば、最初は分からなかった基礎概念が、どういう意味だったかが分かります。

## 論文も、全体が分かれば、部分が分かる

論文や本を読む場合にも、全体を把握することが重要です。読んでいて分からないところがあった場合に、そこで引っかかってしまうのではなく、先に読んで、とにかく全体を把握するのがよいのです。

そして元に戻ってくれば、最初に読んだときに分からなかったところを理解することができるでしょう。**部分を積み上げて全体を理解するのでなく、全体を把握することによって部分を**

**理解する**のです。

適切に書かれた論文であれば、結論を見れば、構造が分かります。難解だと思っていた論文が実はそうではなかったことが分かります（それでもよく分からないのなら、その論文が良くないのです）。

文学作品の理解でもそうです。全体を知らないと部分を理解できません。部分を積み上げて全体を理解するのではなく、全体から部分を理解するのです。

## ヘリコプター勉強法

できるだけ早く頂上まで行ったほうがよい。分からなくても進んだほうがよい、と述べました。

ただ、完全には分からないで先に進もうというのですから、手助けが必要です。そこで、ヘリコプターに助けてもらって、高いところに連れて行ってもらうことにします。歩いて登らなくてはいけないと考える必要はありません。

では、そのようなヘリコプターとして、実際にはどのようなものがあるでしょうか？　それについて、以下に述べます。

第1の方法は、分からない概念が出てきたら、百科事典で調べることです。ウェブの記事でも構いません。ただし、ウェブの記事にどの程度の信頼がおけるかは分かりませんから、注意が必要です。

第2の方法は、学校の勉強であれば、数年上の学年の教科書を読むことです。すると、いまやっていることの意味がよく分かります。兄姉がいるなら、その教科書を見せてもらいましょう。小学校の低学年なら高学年の教科書を、高学年なら中学校の教科書を、中学生なら高校の教科書を見る。そして、高校生なら、大学教養課程の教科書を見るのです。

そういうことが友達同士の競争になるような環境であれば、とてもよいでしょう。これは、「数学ではことに基礎が難しい」の項で述べた数学の場合に限りません。自慢しあえる友人がいると、良い競争になります。「ローマ帝国の詳しい歴史を知っているか?」「この小説を読んだか?」などという競争です。

そうした競争に勝つために『三国志』を読めば、中国の歴史に興味を持つでしょう。『戦争と平和』を読めば、ナポレオン戦争の時代の世界に興味を持つでしょう。

先生を困らせるために難しい質問を教室でしようと、勉強するのもよいでしょう。

## 勉強法の2つの原則

これまで述べたことは、常識的な勉強法とは大分違うので、これで大丈夫か、と思われるかもしれません。あるいは、学校での勉強のカリキュラムを無視していると思われるかもしれません。

しかし、以上で述べたことは、勉強のインセンティブを失わないために大変重要なことです。**勉強の最大のインセンティブは、「勉強は楽しい」と実感すること**です。

勉強は、楽しく面白いものだということが実感できなければ、進みません。勉強が苦しいと思ってしまっては、悪循環に陥(おちい)ります。

これまで述べたことによって、勉強法の２つの原則が浮かび上がってきました。それはつぎのようなものです。この方法の有効性は、算数・数学の場合にとくに顕著です。それだけでなく、他の科目についても有効です。

**1　「自分の頭で解法を考えなくていけない」という思い込みから脱却する。解き方を覚えて、それに当てはめる。**

**2　ある程度分かったら、先に進む。知らない概念が出てきたら、百科事典の助けを借りる。**

これを、逆の面から表現することもできます。つまり時間をかけても成果が上がらないのは、つぎのような方法をとっているからです。

1　「自分の頭で考えよ」という呪縛から逃れられない。

2　完璧主義に陥っている。基礎を完全にマスターしてからでないと先に進めない。いまのところが分からないのは、その前が分からないからだと考えて、足踏みする。あるいは逆行する。だからいつになっても全体を把握できず、勉強する意欲がなくなる。そして時間切れになってしまう。このため、勉強は辛い義務だと思うようになり、勉強を嫌々やるようになる。

このような勉強法からはぜひ脱却することが必要です。それによって新しい可能性が開けます。

第2章では、勉強法の原則として、もう一つ重要なことを述べます。そして、これらをあわせたものを、第7章で「超」勉強法の3原則としてまとめて示すことにします。

## 第1章のまとめ

**1** ツルカメ算の解き方を自分で考え出すのは大変なことです。できないと、自信を失い、数学が嫌いになります。

**2** 私は、大学の数学の講義で聞いた、「数学は暗記だ」の一言で、目を覚ましました。解き方を自分で考えなくてはいけないという重圧から解放されたのです。

**3** 「自分の頭で考えよ」といいますが、これは偽善です。偽りのアドバイスに惑わされてはなりません。
自分で解き方を考え出すのは大変なことです。そんなことは必要ありません。問題の解き方を覚えて、それに当てはめればよいのです。「自分の頭で考えろ」ほど無責任なアドバイスはありません。

**4**

学問の世界（とくに物理学）においても、同じことがいえます。ニュートンが言ったように、「巨人の肩に乗って新しいものを見出す」（先人の業績の上に、新しい理論を組み立てる）のです。これまでの理論をできる限り残そうとする努力によって、新しい物理学が生み出されました。

**5**

「ツルカメ算」の特殊な解法に頭を痛める必要はありません。未知数と連立方程式を用いれば、簡単に解けます。

**6**

基礎は難しくて退屈です。できるだけ早く先に進むべきです。8割分かったら、先に進む。そして、高いところへ行く。すると、全体を把握できます。

第2章

# 平板に勉強してはいけない

# 1

# 成績は能力で決まるのではなく、勉強のやり方で決まる

**真面目に勉強しているのに、なぜ成績が上がらないのか?**

**学校の成績が悪い学生は、頭が悪いのではありません。やり方を間違えているのです。**人間の能力にそれほど差があるわけではありません。成績に差が生じるのは、方法に違いがあるからです。

成績は勉強時間に比例しません。それどころか、勉強の努力にも比例しません。同じ勉強時間、同じ努力であっても、努力の配分の仕方によって、結果には大きな差が生じてしまうのです。すべての努力が同じように報われるわけではありません。

だから、真面目で勉強時間の多い学生が成績が良いとは限りません。真面目なために、かえって成績が悪くなってしまうこともあります。

**学校での勉強に関する限り、正しい方法で勉強すれば、必ず良い成績を上げられます。なぜ**

**なら、学校教育では、人並み外れた創造力を要求しているわけではないからです。それどころか、そもそも創造力を要求しているのですらありません。**できあがっている学問の体系を、定型通りに習得することを要求しているだけです。

第1章では、数学について勉強の方法を述べました。自分で解き方を考え出そうとするのでなく、解き方を覚えてそれを問題に当てはめるという方法です。本章で述べるのは、勉強方法の第2点目であり、**「重要な点に集中せよ」**ということです。

## できる学生は平板に勉強していない

真面目な学生は、取り落としがあってはいけないと思って、すべてを同じようにカバーしようとします。しかし、これでは努力に見合った成果を上げられません。それどころか、成績が上がりません。この学生は、真面目なのだけれども、やり方を間違えているのです。

取り落としがないようにまんべんなく勉強すれば、安心感を持てるかもしれません。しかし、その安心感は偽物なのです。こうして、真面目な学生ほど成績が悪くなるという結果になってしまいます。

それに対して、できる学生は、「何が重要か」を把握しています。そして、そこに努力を集中しています。のんべんだらりとやっているのでなく、メリハリがあります。これは、「急所」「ツボ」「押さえどころ」「勘所」「コツ」などと呼ぶこともできます。「幹と枝葉の区別」といってもよいでしょう。勉強ができる学生は、幹を押さえるのが上手な学生です。まず重要なことを勉強し、時間が余ったら、残りに手をつけていきます。

勉強が苦手な学生は、何が要点か分からず、膨大な情報の中で途方に暮れています。勉強のコツは「集中すること」なのです。すべてを平板に勉強する学生と、重要なところに努力を集中する学生とでは、勉強の成果に大きな違いが出てきます。

これは、社会人になってからの仕事についてもいえます。重要でないことにエネルギーを使っているために、成果が上がらない人が多いのです。

## 「ヤマをかける」のとは違う

コツコツと真面目に勉強するのは、もちろん重要です。しかし、それで成功するとは限りません。「どこに努力を集中するか」が重要なのです。

能力のある人が真面目に勉強しても、方法を間違えれば成績は上がりません。要領よくスマートに勉強する学生が成功するのです。

入学試験であれば、１００点を取れなくとも合格できます。そして、毎年必ず一定数の合格者がいます。合格者の中に入ることが目的なのであって、すべての問題に完璧な答えを書くことが目的ではありません。目的をこのように限定すれば、それをクリアするのは、あまり難しいことではありません。

逆に言うと、時間をかけて真面目に勉強しているにもかかわらず、**いっこうに成果が上がらない学生は、努力する対象を間違えている**のです。成績の悪い学生は、怠(なま)け者とは限りません。勉強法が下手なのです。勉強ができるかできないかの差は、まさに、ここにあります（そして、この点にのみあります）。

## 「重要でないことを無視してよい」のではない

ここで、つぎの点に注意してください。

第1に、前項で述べたのは、「ヤマをかける」のとは違うということです。

「ヤマをかける」のは、偶然のチャンスに期待することです。それに対して、「重点化」とは、中身の重要性に応じた努力配分をすることです。メリハリのある勉強をすることです。山勘でどこかに集中しているのではなく、本当に「重要なところ」を知り、それを押さえているのです（どこが重要かを知る方法は、本章の3で述べます）。

注意していただきたい第2点。これは、「重要でないことをやらなくてよい」ということではありません。時間があれば、やるほうがよい。ただし、それは重要なことを済ませてから後のことです。要は、「平板に勉強してはいけない」「重要度にあった努力の分配をせよ」ということです。

## 学校の勉強では、何が重要かが決まっている

本章の2で述べるように、「重要な点に集中せよ」ということは、勉強に限らず、多くのことについていえます。ただし、学校の勉強において、集中の有効性がとくに顕著です。なぜなら、「何が重要か?」が決まっているからです。時がたっても、重要性にあまり大きな変化がありません。さらに、何が重要かを比較的簡単に見出せます。これは大変重要なことです。

社会に出てからの仕事では違います。何が重要かは、見出しにくいだけでなく、変化します。だから、固定的な方法を続けていれば失敗します(これについては、第7章で再述します)。

## 出題する側の事情

学校の勉強では、何が重要かの評価が確立していて変動しないので、試験での出題傾向も、ほぼ不変です。

ただし、言うまでもないことですが、一般に重要と考えられていることしか出題されないわ

けではありません。そこから外れる内容の問題が出題されることもあります。すべての受験者が合格点を取ってしまうと、判定できないからです。

これは、出題者の立場になったことがないと、分かりにくいでしょう。出題する側からすると、全員が合格点を取ってしまうと窮地に立たされるのです。もちろん、全員が不合格点でも困ります。ただ、その場合には、合否基準を甘くして救済することが可能です。それに対して全員が合格点の場合は、対処しにくいのです。

ですから、時には難しい問題も出す必要があります。何題かの問題の中に、難しい問題も入れておくのです。

ただし、難問奇問ばかりを出題していては、批判の対象となります。例えば、歴史の試験で、専門家しか知らない小国の政治家の名前を出題したら、批判されるでしょう。歴史全体の流れの中で意義があるような人物や事件を問う問題が、「良い問題」と評価されます。

出題者は常に「良い問題」を出すプレッシャーを受けています。入学試験では、ことにそうです。とりわけ有名校は、このプレッシャーを強く受けています。だから、難関校ほど、入試には「まともな問題」「標準的な問題」を出すのです。

こうした事情があるので、入学試験問題で求められているおおよその内容は分かります。問題の傾向は予測できるし、対応もできるのです。

受験生の立場からすると、過去の傾向通りの問題が出ると考えても、大きく外れることはありません。運が作用することは、あまりないのです。

## 入試問題には、正解がある

入試問題には答えがあります。しかも通常は、唯一の正しい答えが。そうでなければ、採点ができません。

ですから、試験問題は、一定のパタンに当てはめれば必ず解けます。「この問題は、どのパタンに当てはめれば解けるか？」と考えればよいのです。

誤って解けない問題を出してしまったときには、出題者は窮地に陥ります。実は、私にもこの経験があります。入試でなく期末試験ですが、ファイナンス理論の問題で、解けない問題（問題の設定を誤ったので、解が負になってしまう問題）を出してしまいました。

試験の最中に気がついて、あわてて訂正しました。もし、入学試験なら責任問題です。

ところが、現実の世の中では、解がない問題や、解がいくつもある問題は、日常茶飯事です。この問題については、第7章で再述します。

# 2

# 世の中は不均質　2：8の法則

## 2割を制する者は天下を制する

多くの場合において、重要なことは全体の2割の部分に含まれています。それが8割の重要性を占めています。だから、（やや大げさに言えば）「2割を制すれば8割を制し、8割を制すれば天下を制する」ことになります。これを**「2：8の法則」**と呼ぶことにしましょう（このような性質を持つ確率分布を定式化した統計学者の名をとって、「パレートの法則」と呼ばれることもあります）。

よくできる学生は、さまざまな事項を平板に勉強しているのでなく、重要である「2割」を重点的に勉強しています。本質的な部分を見出し、そこに集中しているのです。幹と枝を区別しています。

実は、勉強は、「2：8の法則」を応用できる典型的な対象なのです。

世の中に「ハウツー」や「ノウハウ」と称する方法は、山ほどあります。しかし、単なる思いつきや、「たまたま私の場合には成功した」というようなものも、多く見受けられます。そうした方法には汎用性がありません。

それに対して、「2：8の法則」は、さまざまな事象について観測される普遍的なものです。したがって、「重要である2割を見出し、それに努力を集中せよ」という方法論は、応用範囲が広く、かつ強力なものなのです。

「2：8の法則」に従うとは、「要領がよい」ということなのですが、こう表現すると「こすからい」という印象を与えるかもしれません。しかし、そうではなく、「適切な方法で勉強している」ということです。

なお、「2：8の法則」と述べましたが、すべての場合について、文字通り厳密に「2割で8割」ということではありません。「1割で9割」の場合もあるでしょうし、「3割で7割」の場合もあるでしょう。具体的な数字は、場合によって異なります。「重要なことは、全体から見れば一部でしかないところに固まっている。だから、その部分を最優先に扱え」ということです。

## 成果は努力に比例しない

いま一度繰り返しましょう。**重要なもの、成果を左右するもの、全体の動向を決めるものは、全体の一部です。**したがって、投入、原因、努力のわずかな部分が、産出、結果、報酬の大部分をもたらすのです。

重要なものを重点的に扱えば、効率は飛躍的に向上します。ポイントをつかむ、大事なことを先にする、コツをつかむ、要点を押さえる、枝葉末節にこだわらない、ということです。

逆に言えば、この法則を知らずに努力しても、焦点が合っていないため、満足な成果は得られません。努力すれば、それに見合う報酬が得られるかといえば、必ずしもそうではないのです。間違ったところに努力を傾注しても、効率が悪い。無暗(むやみ)に努力してもだめなのです。

方向を正しくすることによって、少ない努力で大きな結果を生み出すことができます。選択して集中することが必要なのです。

日本人には、「長い時間、真面目に働くことこそ重要」と考えている人が多いように見受けられます。しかし、長い時間働くことではなく、価値のある重要な仕事に絞って、短い時間で大きな結果を生み出すことが重要です。こうした観点から、日常生活や仕事の習慣を見直す必要があります

2：8の法則は、さまざまな現象について成立します。

例えば、外国語も、旅行者の場合であれば、少しの単語を知っているだけで足ります。多くの人は、たくさんの単語や表現を覚えなければならないと思っています。それは大変なので、尻込みして何も勉強しない。ところが、行きの飛行機の中で覚えられるようなものだけでも勉強しておくと、大いに役立ちます。

スポーツにも、コツがあります。重要な勘所です。「ツボ」といわれるものも同じなのでしょう。このように、「重要なことに集中する」という方法論は、勉強や仕事、そして日常生活のさまざまな分野で応用できるものです。

## スマートフォンやPCを使い切る必要はない

2：8の法則は、PC（パソコン）やスマートフォンなどの利用には重要なことです。PCやスマートフォンにはさまざまな機能があります。しかし、すべての機能が同じような重要性を持っているのではなく、重要な機能とそうでないものがあります。

この場合にも、重要である2割の機能を習得すれば、8割の事態に対処することができます。8割の事態に対処できれば、多くの場合に大丈夫だと考えてよいでしょう。機能のすべてを使い切る必要はありません。機械にできることであっても、使う必要がないものは多いのです。

だから、すべての機能についてまんべんなく使い方を習得するのではなく、重要な機能を完全に使えるように訓練するほうがよいのです。

ＰＣについて言えば、私が日常的に使うのは、ワープロ機能（テキスト・エディタ）とインターネット、それに表計算程度のものです。これら3機能は、ＰＣの全機能のうちでは2割にもならないでしょう。しかし、私の使用頻度では、それがほぼ8割になります。これらをマスターすれば、ＰＣの機能の8割を使ったことになります。

ＰＣやスマートフォンに初めて接した人が恐怖心を持つのは、機能があまりに多く、すべてを習得できないと思うからでしょう。しかし、すべてをマスターする必要はないのです。それより、頻繁に使う操作や機能に慣れるほうが重要です。

アプリケーションソフトを使う際にも、同じことが言えます。重要な2割の機能を習得してしまえば、実際に使用する機能の8割をカバーできます。例えば、Word には、さまざまな機能があります。しかし、それらを全部習得する必要はありません。まずは、文章を入力し、修正し、保存するという操作ができればよいでしょう。

Excel（エクセル）という表計算ソフトにも、実にさまざまな機能があります。しかし、そのうちよく使う機能は一部です。全体の機能の2割にもならないでしょう。

ＰＣやスマートフォンを使いこなすとは、あらゆる機能に習熟することではありません。重要な機能に絞って習熟することです。

それにもかかわらず、解説書の多くは、機能を中心に考えており、仕事の内容とは無関係に、機能の使い方を説明しています。そして、「PCの能力を最大限に引き出そう」とか「120%使おう」などと言うのです。しかし、これは本末転倒です。「PCやスマートフォンを使い切ろうとは思わない」ことこそ重要です。

## 2割の部品の故障が8割

2：8の法則は、古くから知られていました。そして、実際の仕事において、応用されてきました。その具体的な例として、自動車部品の故障対策があります。

自動車は多数の部品からできていますが、すべての部品が同じような頻度で故障するのではありません。頻繁に故障するのは一部の部品であり、それらが故障件数の大半を占めているのです。実際には、2割程度の部品の故障が総故障件数の8割程度になる場合が多いといわれます。つまり、文字通り、2：8の法則が成立するのです。

このため、修理工場は、すべての部品を同数ずつ準備するのでなく、重要な部品を重点的に備えています。そうすることによって、ほとんどの事故に対応することができます。

数の上では2割のものが重要度では8割を占めるという2：8の法則は、品質管理の分野で重要な法則として意識され、積極的に活用されるようになりました。

自動車の部品以外にも、いくつかの例を挙げることができます。例えば、ある製品に対するクレームを品質別に順に並べると、上位に来る約2割の品質に関するクレームが、すべてのクレームの約8割を占めるといわれます。これらに対処すれば、クレームの8割をなくすことができます。これは、効率化のための非常に強力な方法です。

あるいは、売れ筋商品といわれるものは全体の2割くらいで、それが全体の売り上げの8割程度を占めるといわれます。顧客のうち重要なのは2割程度で、その人たちの購入が売り上げの8割程度を占めます。

交通事故が起こりやすい交差点と、そうでない交差点があります。仮に、ある町の交差点のうち、2割の交差点での事故件数が全体の8割を占めるなら、その交差点での事故対策を重点的に行なうことによって、交通事故の8割をなくすことができます。

2：8の法則は、日常生活にも適用できます。今日やるべきことを10件書き出してみましょう。このうち、優先順位の高い2件をまず処理します。すると、今日の仕事の8割は片づくことになる場合が多いのです。また、一日のうち約2割の時間が、8割程度の価値を生み出しているともいわれます。多くの作業において、重要な仕事時間は、その仕事に使っている総時間の2割くらいなのです。

## 本の2割に8割の情報

2：8の法則は、読書の場合にも有効です。

10章からなる書籍を考えましょう。各章の長さはそれぞれ1であるとします。各章に含まれている重要な情報は、第1章と第10章ではそれぞれ4あり、他の章では、1章あたり0・25であるとします。この場合、第1章と第10章は、分量から言えば全体の2割ですが、重要度から言えば全体の8割を占めていることになります。

ここで、各章を読むのに要する時間は1時間であり、読書に当てられる総時間は5時間しかないとしましょう。

第1章から順に読んでいった場合には、得られる重要な情報は、第1章から4、第2、3、4、5章から1ですから、全部で5になります。

他方、まず第1章と第10章を読み、次に2、3、4章を読む場合には、重要な情報は第1章と第10章から8得られ、2、3、4章から0・75得られます。したがって、全体としては8・75の重要な情報が得られることになります。つまり平板に読むのではなく、重点的に読めば、得られる8.75÷5＝1・75倍に増えることになります。

執筆者の立場からも、同様のことが言えます。第1章と第10章ができれば、分量では2割ですが、実質的には8割くらいできたことになります。

なお、ここで述べている書籍は、仕事や勉強での参考文献のことです。小説については、「重要な部分だけ読めばよい」とは言えません。つまらないところがあるからこそ、全体が生きるのです。ですから、最初から順に、飛ばさずに読む必要があります。

では、本書は小説ではないので、2割読めばよいと言えるでしょうか？　これは、誠に難しい質問と言わざるをえません。

右に述べたのは1冊の本についての読み方ですが、異なる本についても、同様のことが言えます。

私の場合、仕事の参考のため、大量の本や文献に目を通す必要があります。しかし、関連する文献の最初から最後までを丹念に読んでいるわけではありません。そうしたいのはやまやまですが、とてもそれだけの時間が取れません。

そこで、つぎのようにしています。ある事柄を調べたいときに、それに関する参考文献が10冊あるとします。それらをすべて読む必要はありません。その中で優れたものを2冊読めばよいのです。それによって、問題の8割程度は理解できます。参考文献には大体同じ内容のことが書いてあるので、これは当然とも言えるでしょう。

新聞の場合には、「2割程度読めばよい」という法則は、確実に成立します。あらゆる面を隅から隅まで読むのは、非効率です。

「購読料を払ったのだから全部読まないと損だ」などと考えてはいけません。役に立たない記事を読む時間のコストのほうが、購読料より高いでしょう。一般紙にさまざまな記事が出ているのは、読者の範囲を広げ、コストを下げるためなのです。

## 重要なものを取り出しやすいように収納するには?

「重要なものを大事に扱え」という原則からすると、よく読む本を容易に見出せるように書棚に収納しておくことが必要です。

しかし、実際にはそうなっていない場合が多いでしょう。書棚に秩序正しく収納されているのは、あまり読まない本であり、重要な本は机の上に山積みだったり、床に置かれたりしていて、必要なときにすぐには見出せない場合が多いはずです。

このことは、本に限りません。きちんと整理されている書類は重要でないものであり、頻繁に見る書類は、乱雑に置かれているのではないでしょうか?

道具もそうでしょうし、文房具もそうでしょう。重要なものを取り出しやすいように収納すべきなのですが、そうなっていないことが多いのです。

探し物をしていて、「余計なものがこんなにきちんと整理されているのに、どうしてよりによって必要なものが見つからないのか!」と、しばしば思います。これは、整理について2:

8の法則を適用するのが難しいことを示しています。部屋を掃除し整理したつもりでも、整理された大部分は、使わないものなのです。その半面で、頻繁に使うものが適切に処理されていません。

## 押し出しファイリングの思想

書類について、重要なものを取り出しやすいように収納するにはどうしたらよいか？　これが『「超」整理法』（中公新書、1993年）で提案した方法（押し出しファイリング）です。

これは、紙の書類をある程度まとめて角2の封筒に格納し、簡単なタイトルをつけて、書棚に並べるという方式です。新着の書類も参照した書類も、左端に入れます。こうすると、使わなかった書類（＝重要度の低い書類）が右に押し出され、左端近くにあるのが重要な書類になります。このようにして、書類が重要度の順に自動的に整理されることになります。

ここで重要なのは、書類の内容についての分類を一切せず、すべての書類を同じ場所に格納することです。しかし、多くの人は「書類は分類しなければならない」という固定観念に凝り固まっているため、なかなか「押し出しファイリング」の本質を理解してくれません。

コンピュータ・サイエンティストのブライアン・クリスチャンとトム・グリフィスは、『アルゴリズム思考術　問題解決の最強ツール』（早川書房、2017年）の中で、「押し出しファインリング」の思想は、コンピュータのキャッシュメモリの設計思想と同じであり、「数学的に見て最適な方法である」と評価してくれました。

なお、データをクラウドに保存することによって個々のファイルにリンクをつけることが可能になり、資料を分類して保存することが可能になりました。これについては、『「超」メモ革命　個人用クラウドで、仕事と生活を一変させる』（中公新書ラクレ、2021年）を参照してください。

# 3

# 「勉強で重要な2割」をどうやって見出すか？

## 何が重要かを見出す必要がある

「力を分散するのでなく、重要なことに集中せよ」と述べました。これは、ある意味では当然のことです。

ところが、実際にそれを行なおうとすると、そう簡単ではないことが分かります。

第一に、**「重要部分である2割」が何であるかは、必ずしも自明ではありません。「どうやって重要なことを見出すか？」という問題が、実際には簡単でないのです。**

PCのキーは、重要なものが大きくなっています（リターンキー、スペースキー、シフトキーなど）。だから、重要なキーが何かはすぐに分かります。

しかし、一般には、このような形で重要度が分かるのは、むしろ例外です。それにもかかわらず、重要度には差があるのです。

本章の2で、全体の2割でしかない「売れ筋商品」が全体の売り上げの8割を占めると述べました。しかし、どの商品が売れ筋かは、必ずしも明らかではありません。

つまり、重要なことがすぐに見分けられるとは限らないのです。それを見分けることが、2：8の法則を応用するうえで決定的に重要な意味を持っています。

前節で強調したように、勉強では、重要な部分に努力を集中する必要があります。しかし、そのためには、「何が重要な点か？」を知る必要があります。

ビジネスの場合、「選択と集中が必要」といわれます。では、どこに集中するのか？　それを誤れば、「的外れ」になってしまいます。

2：8の法則の原理自体は、品質管理の分野で、昔から広く知られていました。その場合に**重要なのは、「何が2割なのか？」を知ること**です。

## トートロジーに陥らないために

重要な部分がどれかを探し出す方法が分からないと、2：8の法則は使えません。「重要なものが2割ある」というだけでは、一般的な原則を述べただけで終わってしまいます。それだけでは、現実の問題に適用することができません。

整理法に関する本は山ほどありますが、それらのほとんどは、「要らないものを捨てよ」と言うだけです。そして、「要らないものをどうやって識別するか?」という方法論を示していませんせん。これでは、トートロジーに過ぎず、ノウハウになっていません。「ノウハウを示していないノウハウ書」が世の中に氾濫(はんらん)していることに対して、私は怒りに近い感情を持っています。

2：8の法則について書かれた本も、いくつもあります。それらを読んで不満に思うのは、「どのようにして、重要である2割を見出すか?」に対する答えを与えていないことです。

仕事のうえで要点を押さえることがうまい人も、多くの場合は、直感で行なっています。「なぜそこが重要と分かったのか?」と問われても、適切に答えられない場合が多いでしょう。実際には、長年の経験を通じて見つけ出したり、偶然に見出したものが多いのでしょう。仕事の場合には、何が重要かをいつも意識していれば、だんだんカンが働くようになってきます。そして、重要でないことに努力を集中している場合には、それを修正しなければならないという感覚が生まれるようになってきます。

ところが、勉強の場合には、重要な箇所を見出すための方法論を示すことができます。これについて、以下に述べることとします。

## 教師の役割

まず、何が重要かを教えるのが、教師の役割です。

良い教師とは、「どこが重要なのか」を教えてくれる教師です。良い教師は、教科書に書いてあることがすべて同じように重要ではないことを知っています。「重要なところだけを取り出すと体系的にならないから、重要でないことも教えざるをえないのだ」ということを知っています。

教科書に比べて講義が優れているのは、重要な点を強調できるからです。逆に言えば、それを示せない教師は無能です。

アメリカに留学したときに印象的だったのは、教授がcrucialという言葉を連発したことです。This assumption is crucial. というように。

importantというのとは少しニュアンスが違います。This assumption is crucialとは、「その仮定を置くかどうかで、結論がまったく違ってしまう」という意味です。学習で重要なのは、crucialなこととtrivial（些細）なことを、はっきり区別することなのです。

こう言われれば、学生の側でも、どれが重要かと常に意識するようになります。そのうちに、カンが働くようになってきます。

## 過去問勉強法

良い教師に恵まれない場合は、どうしたらよいでしょうか？　あるいは、独学で勉強しているために、教師がいない場合には？

教師に教えられなくとも、直感的に重要な点を見出すことができる学生もいます。しかし、誰もがそうした能力を持っているわけではないので、方法論が必要でしょう。

私は、さまざまなことを独学せざるをえなかったので、この類のノウハウを意識して求めました。

私は、大学では応用物理学を勉強したのですが、4年になってから経済学の勉強をしたくなり、経済学の知識を持っていることを採用者に示すために、国家公務員試験の経済職を受けました。

これは、毎日遅くまで研究室で実験を続ける、厳しい時間的制約の下での勉強でした。とにかく効率的に進めなければなりません。そこでどうしたかというと、公務員試験の過去問題を見たのです。経済学に関する知識がゼロの段階で、教科書を最初から順に学習するのでなく、過去問題だけを見ました。そして、経済学辞典を買ってきて、意味の分からない用語（例えば、「価格弾力性」というような、日常用語でないもの）を引いて、意味を勉強しました。

私は、大学受験のときから、「過去問題集」とか「傾向と対策」という類の参考書があることを知っていましたが、あまり使いませんでした。しかし、このときにはもっぱら過去問に頼ったのです。

体系的に学問を究めようとするのではなく、試験で良い成績を取ることだけが目的なら、過去問題で勉強するのが最も効率的です。

この方法は、程度の差こそあれ、誰もがやっているでしょう。例えば、運転免許の筆記試験で、交通法規をすべて覚えるのは大変です。しかし、過去に出題されたことを勉強すれば、たいていは通ります。

もし経済学を教えるなら、あるいは経済学について（ある程度専門的な）本を書くなら、「経済学は、どのような基本問題に答えようとしているのか？」「経済学の基本的な方法論は何か？」「経済学の限界は何か？」といったことを重点的に話したり書いたりします。

しかし、公務員試験でそうした問題が出てくることは、まずありません。こうした「深遠な」問題に対しては、論者によって意見が違うし、客観的な採点も難しいからです。専門の学術書と試験とでは、重要な点が違うのです。

したがって、深遠な問題について高い識見と深い洞察を持っていても、試験で良い成績は取れないでしょう。試験に出てくるのは、答えが客観的に決まっている問題なのです。

## 入門教科書を見る

良い教師がいない場合に重要な点を見出すもう一つの方法は、入門用の簡単な教科書を見ることです。ここには、（専門の学術書とは違って）重要なことしか書いてありません。

ローマ史を勉強するのに、最初にギボンの大著『ローマ帝国衰亡史』を開くと、途方に暮れてしまうでしょう。しかし、入門解説書を読めば、何が重要な点かが分かります。そこには、ポンペイウスやハドリアヌスのことは書いていないかもしれませんが、カエサルとオクタビアヌスは必ず載っているでしょう（後で述べる「ヘリコプター勉強法」に即して言えば、入門教科書は非常に強力な「ヘリコプター」なのです）。

私は高校で世界史を取らなかったので、ずいぶん後になってから自分で勉強しました。公務員試験の勉強をしたときのように時間的な制約はなかったので、最初は世界史の事件を題材にとった小説から読みました。

西洋史なら、ローマ帝国、十字軍、大航海、エリザベス女王、フランス革命、そして現代史です。シュテファン・ツヴァイクの著作には、面白い歴史ものがいくつもあります。

面白いから、自動的に右のような選択になったのですが、いま考えてみると、小説になるような事件や人物は、世界史全体の立場から見ても重要である場合が多いのです。つまり、これは、世界史の重要な部分なのです。

「牛に引かれて善光寺参り」といいますが、私は、面白さに引かれて自然に世界史の重要な「2割」を勉強したといえるかもしれません。

## 図書館の本を見ると、重要な箇所が分かる

アメリカの大学院の授業では、「リーディング・アサインメント」というものがあります。講義を受ける前提として、来週までに読む必要がある参考文献のリストです。

ところで、英語を母国語としない留学生には、これはかなり大変な課題です。英語を速読できないというハンディキャップがあるからです。「1週間のうちに厚い本を10冊読め」などというリーディング・アサインメントも稀(まれ)ではないのですが、とても対応できません。

そこで私がどうしたかを述べましょう。

私は図書館に行ってアサインメントの本を借り出し、本を下から眺めたのです。すると、ページが黒くなっている部分が見えます。ここは、大勢の学生が読んだ箇所です。多くの学生は、その本を最初から最後まで一様に読んだのではなく、黒くなっている部分を読んだのです。つまり、その部分こそが「重要な点」です。多くの場合に、それは本全体の2割にもなりませんでした。

これは、速読ができないためにやむなく取らざるをえなかった対応ですが、いま思えば、

リーディング・アサインメントへの対応としては、正しい方法だったと思います。「こんなにたくさんは読めない」とギブアップしてしまうことに比べれば、ずっと積極的な対応です。

なお、図書館の本には「ここが非常に重要」とか、「この記述はおかしい」などの書き込みもあり、大変有益でした。「図書館の本に書き込みをしてはならない」という注意は間違いだと、私は思っています。「図書館の本には、有益でない書き込みをしてはならない」とすべきでしょう。

重要な事項を知るためのもう一つの方法は、ウェブの検索を行うことです。検索は、中学生でも簡単にできるでしょう。

例えば、ローマ史を勉強しているのであれば、「古代ローマの政治家」というキーワードで検索したときに上のほうに出てくる人が重要な人です。

一般に、検索で上位に出てくるのが重要な事柄です。上位に来るのは張られているリンクが多いサイトであることが多く、必ずしも重要性を意味するとは限りませんが、多くの人が重要と思っていることを表すと考えてよいでしょう。

書籍の場合には、索引の活用も有効です。索引に登場する概念は、重要なものだからです。ところが、日本の書籍には索引がないものが多いので、このように使えないのが問題です。

## 4 ヘリコプター勉強法で重要な箇所を見出す

### 高いところから見れば重要な点が分かる

重要な点を見出すためのいくつかの方法を3で述べました。では、もっと一般的な方法があるでしょうか？

勉強については、あります。第1章で述べた「**ヘリコプター勉強法**」です。

そこでは、連立方程式を使えばツルカメ算が簡単に解けるように、「**進んだ方法を使えば、初等的な問題は簡単に解ける**」と述べました。

ヘリコプター勉強法は、重要な事項は何かを把握するためにも有効です。高いところから全体を俯瞰（ふかん）すれば、重要なものが分かるからです。これを「**鳥の目法**」と呼ぶことにしましょう。

道を歩いたり、ドライブをしたりする場合、人によって目的地へのルートの認識法に差があります。ある人は、地図を頭に思い浮かべ、それと照合しつつ現在地と目的地の関係を把握します。これに対して、目の前に現れるつぎつぎの目標物との関係で把握している人もいます(例えば、銀行の角を右に曲がり、つぎの信号を左に曲がるというように)。

前者が鳥の目による全体把握です。これは、全体をまず把握し、それを用いて部分を理解しようとする方法です。鳥が上空から地上を眺めるようにして、対象を理解しようとするのです。

それに対して後者は、アリの目で部分部分を見ていることになります。部分から全体を理解しようとしているのです。多くの人は、この両者を組み合わせているでしょうが、私が強調したいのは、前者です。

「基礎が重要」という考えは、一つ一つの部分を理解し、それらを積み上げていくことによって全体を理解しようというものです。しかし、こうした方法で理解するのは難しいのです。

ここで述べているのは、それとは逆の方法です。まず全体をつかんで、それによって部分を理解しようとする方法です。

「鳥の目法」で、なぜ重要な点が分かるのでしょうか？　それは、全体を把握すれば、個々の部分がどのように関連しているかが分かるからです。そして、重要性とは、個々の部分が全体に対してどのような位置にあるかで決まるものだからです。

「鳥の目法」は、まず全体の鳥瞰図(ちょうかんず)を得て、それをもとに各部分の重要性を評価しようという方法です。

## できるだけ早く、高いところに登る

この方法は、とくに数学の場合に有効です。できるだけ早く、できるだけ高い場所に登ってしまうのです。すると、そこに至るまでの概念や理論の位置づけが分かり、なぜある概念が必要なのか、個々の概念がどのようにつながっているのか、どの程度の重要性のものなのか、といったことが分かります。**進んだ段階から見れば、それまでのところはよく分かる**のです。

したがって、できるだけ早く、できるだけ広い範囲をざっと勉強してしまうべきです。例えば高校1年生なら、高校の全課程をできるだけ早く勉強する。理解できないことが多少残っても構わないで、どんどん進むのです。

学校の勉強の場合には、教科書という格好の手引きがあるので、できるだけ早く、教科書を最後まで読んでしまえばよいのです。

この方法によって、「どのようなことを学ぶのか」という概略をまず把握します。高校の全課程で学ぶべき内容はどの程度のものかを把握すれば、勉強は楽になります。

軍隊の行軍の場合に、目的地が分からないと疲れるけれども、目的地を知り、そこまでの地図があれば疲れないのと同じことです。

生徒の間で、「こんなことまで知っているぞ」という背伸び競争があり、進んだことを勉強するインセンティブが働く環境（第1章の6参照）があると、とてもよいと思います。

なお、本を読む場合に全体を俯瞰するための具体的な方法としては、目次の活用があります。教科書や参考書を読んでいるとき、頻繁に目次を参照するのです。すると、いま学んでいることが全体の中のどのような位置にあるか、他の部分とどのような関係にあるかがつかみやすくなります。

## ヘリコプターの力を借りて高いところに行く

ところで、「高いところに行け」と言っても、「ではどうやって高いところに行けるのか？それこそが問題だ」という意見があるでしょう。

第1章の6では、自分の足で一歩一歩登るのでなく、ヘリコプターに乗って頂上まで行ってもよいと提案しました。

例えば、ファイナンス理論の論文で、「ボラティリティ」という言葉が出てきたとしましょう。これは統計学の基礎概念の一つなのですが、統計学を勉強したことがない人は、この言葉を見て、「私は統計学を知らない。その勉強には大変な努力が必要だ。だから、私はこの論文を読めない」とあきらめてしまうでしょう（「ボラティリティ」とは、第6章の4で説明している「分散」の平方根である「標準偏差」と同じものです）。しかし、時間がなければ、**最低限の必要事項を調べるだけで読み進んでもよい**のです。

この目的のために、昔であれば、百科事典を用いました。いまなら、ウェブで調べるのが便利です。「ボラティリティ」についての簡単な説明は、すぐに見つかります。それを読めば、「おおよそどのようなことか」は、理解できます。学生時代に統計学をきちんと勉強しなかったビジネスパーソンでも、理解できるでしょう（ただし、ウェブにある解説は誤っている場合も多いので、注意が必要です）。

専門家には、このような方法をとることに反対の人がいると思います。そして、「麓から一歩一歩登ってこそ頂上をきわめる歓びがある。ヘリコプターで頂上に行っても意味がない」と言うでしょう。だから、百科事典やウェブで答えを見てしまうというのは、ルール違反だと感じてうしろめたく思う人が多いのです。

しかし、この意見はサディズムでしかありません。高山の素晴らしい空気や眺望が目的なら、ヘリコプターで望む高さまで連れて行ってもらってもよいのです。

実際、われわれは日常生活でこうした方法を多用しています。自動車を運転するのに、内燃機関の原理について正確な知識を持っている必要はありません。それより、アクセルの踏み加減を体得するほうが重要です。あるいは、テレビを見るのに、半導体の知識は必要ありません。受像機の操作を知っていれば十分です。

勉強についてこれと同じことをやるのが、「ヘリコプター勉強法」です。

## IT機器ではヘリコプター勉強法がとくに有用

ＰＣ（パソコン）やスマートフォンなどの実用的な道具に習熟するための原則としても、「ヘリコプター勉強法」は有用です。ＰＣそのものだけでなく、エクセルなどのアプリケーションソフトの使い方についても、このことがいえます。

パソコン教室に通って、あるいはマニュアルを読んで、基礎から一歩一歩進むのでなく、とにかく現在必要な操作を誰かに教えてもらって習得するのです。

最初に機器を買ってきたとき、動作環境の設定や周辺機器の接続などを全部自分でやろうと思っても、無理です。「基礎から一歩ずつ」という考えにとらわれている限り、いつになってもスマートフォンを使えないでしょう。

右で「誰かに教えてもらう」と言いましたが、「誰か」とは、ＩＴ機器に詳しい人を指します。ある程度の規模の職場なら、このような人が必ずいるはずです。彼らと仲良くなって教えてもらうのです。どうしても見つからなければ、誰かに専門家を紹介してもらい、彼らに家庭教師役を頼みましょう。ある程度の知識を持っているなら、別に家庭教師に頼る必要はありません。いまでは、ウェブで検索すると、この種のアドバイスを簡単に見つけることができます。ですから、独力で習得できます。

エクセルの使い方などであれば、ウェブにいくらでも解説記事があります。印刷物の解説書は一般的な読者を相手にしているため、万人向きの内容になっており、個別の問題に対して役に立たないことが往々にしてあります。しかし、ウェブの記事なら、自分のニーズに直接応えてくれるものを容易に見出すことができます。

ところで、これまで強調してきたように、学校の勉強では、重要な点が変化しません。しかし、IT機器についての実用的な勉強では、変化します。例えば、30年前であれば、ウィンドウズを使うためにMS－DOSという基本ソフトについて学ぶ必要がありました。しかし、いまではMS－DOSについて何も知らなくともウィンドウズを使うことができます。

重要な点が変化する分野では、「基礎から一歩一歩」という方法をとっていては、いつになっても実用的知識まで辿り着きません。「とにかく必要なことをマスターする」ことが必要で、そのためにはヘリコプター勉強法は不可欠です。

なお、ヘリコプター勉強法の有効性に対しては、異論があるでしょう。とくに、基本的な認識能力を育成しつつある年齢では、このような学習法は適切でないとの意見があると思います。

しかし、「最初に全体的な概念に触れておくと、たとえそれを十分に理解できなかったとしても、あとの内容の学習を早める」という心理学実験の結果があります。だから、この方法は、小学生の勉強にも応用できるものだと私は思います。

## 第2章のまとめ

**1**

学校の成績が悪かったり、受験に失敗したりするのは、能力がないからではありません。勉強の方法を間違えているからです。

平板に勉強するのではなく、どこが幹かを押さえ、そこに努力を集中することが必要です。勉強時間をかけても成績が向上しない学生は、平板に勉強しているのです。

**2**

世の中は不均質です。全体の2割が、重要度から言うと8割を占めます。これは「2：8の法則」として、古くから知られていました。重要である2割を優先的に扱えば、仕事の効率を飛躍的に向上させることができます。

**3**

問題は、「どこが重要なのか？」を知ることです。勉強の場合には、書籍の目次や索引の活用、また検索の利用などが考えられます。過去問や入門教科書を見るのも有効です。

**4**

全体を把握すれば、どれが幹でどれが枝かが分かります。全体の中に個々の部分を位置づけることによって、その部分の重要性を判断できるのです。「細部に拘泥せず先に進む」のは、このために必要なことです。

第3章

# 丸暗記法で
# 英語は完璧

# 1

# 英語ができれば、入試は通る

## 入試において、英語は必要で、ほぼ十分

世界史を知らなくても、物理学を勉強しなくても、大学の入学試験はパスできます。それらの科目を選択しなければよいからです。数学は数Ⅰを取れば、それほど苦労しないでしょう。

しかし、英語（あるいは、外国語）はこうはいきません。どうしても取る必要があります。つまり、英語（外国語）は、入試合格のために「必要」です。

他方、英語で非常に良い点を取れば、他の科目の成績が多少悪くても、入試に合格できます。つまり、ほぼ十分です。第5章で述べるように、成功の十分条件を示すのは難しいのですが、これは例外です。

しかも、英語の勉強法は、以下で述べるように簡単です。誰にでもできます。時間さえかければ、能力に関係なく、成果を上げられます。もともと言葉は誰でも使えるものだからです。

## 当たり外れがない

試験で重要な点は決まっていると、第2章で述べました。英語について、これがとくに当てはまります。

他の科目、例えば世界史では、よく知っているところが出たら良い点を取れるが、そうでないと取れない、といったことが生じます。

しかし、英語では、たまたま知らない単語が出たから良い成績を取れなかったとか、たまたま知っている単語が出たから良い成績を取れたというようなことは、ほとんどありません（絶対にないとは言えませんが）。

つまり、当たり外れがないのです。英語は、実力をつけていれば、受験で必ず良い成績を取れます。

## 受験英語（学校英語）は特殊な英語

英語にはさまざまなものがあります。まず、単語の使用頻度において、バイアスがあります。「受験英語にはバイアスがある。そこでの単語頻度は、ソーンダイク頻度表（アメリカの心理学者ソーンダイクによる教育語彙表）の頻度と違う」というのが、森一郎『試験にでる英単語』（「でる単」青春出版社）の哲学です。そして、これは正しい哲学です。

「でる単」の初版は1967年。これを作る作業は、さぞかし大変だったでしょう。その当時はコンピュータを使えませんでした。すべてを紙に筆記して、集計するしかありません。コピー機すらなかった時代です。ゼロックス複写機が一般に広く出回ったのは、このしばらく後のことです。どうやって元の資料を手に入れたのか、想像もつきません。

実は、森先生は、私の高校時代の担任教師です。大学生になってからのことですが、私は、「でる単」の実験台にされました。

そのときの森先生の診断：「野口君は、試験に出るような難しい単語を知っている。しかし、アメリカ人が日常生活で使う言葉には弱い」。

## 学校英語と生活英語は、ずいぶん違う

その数年後、森先生の診断が正しいことを、いやというほど思い知らされました。

アメリカに留学したのですが、大学の教室にいる限り、何も問題はありません。しかし、一歩街に出ると問題が生じるのです。

それから数年後、イギリスのシェフィールド大学での学会に出たときのこと。学会討論は何の問題もなかったのに、街に出たら何も分かりません。発音がアメリカの英語とはまったく違うのです。アメリカ人がなぜこういう英語を聞き取れるのか、不思議でした。

アメリカ英語とイギリス英語は、別の言葉といってよいほど違います。イギリス英語を覚えた学生は、日本の学校の試験では高い点を取れないでしょう。

アメリカの南部英語も、私には分かりません。ボストン英語さえも特殊です。

ですから、留学したからといって、英語の成績が良くなるわけではありません。ましてや、帰国子女が受験で良い点を取れるとは限りません。

日本の学校英語と実際の生活で使われている英語の乖離を示す典型例が、医学用語です。つまり、病気の言葉です。これは、アメリカ生活では日常的に必要なことです。しかし、日本人にはほとんど分かりません。

留学したとき、大学での手続きの最初に、既往症のリストを渡され、それにチェックさせられました。10個以上の病名が並んでいるのですが、その中で分かったのは、TB（結核）とVD（性病）だけ。あとはまったく分かりませんでした。

医学用語が分からないという問題は、ずっと後まで続きました。アメリカの病院で下剤を飲めと言われて、それが分からなかったこともあります。医師に聞いても教えてくれず、「薬局で聞け」と言われただけです。

病名や薬の名などの基本的な医学用語は、その国で生活するためには必要なことです。しかし、こうした言葉は、日本の学校の試験や入学試験には、まず出てきません。したがって、日本人の学生は、こうした言葉を知りません。知らなくとも、入試には合格できます。

## 学校英語は現実離れした英語で、つまらない

学校の英語が世の中と乖離していることは、教科書を見れば分かります。

私の世代は、中学校の英語の時間に、『Jack and Betty』という教科書を使いました。そこで最初に出てくるのは、つぎのような会話です。

Are you a boy?
No, I am not. I am a girl. My name is Betty Smith.

これは、誠に不思議な会話です。女の子に向かって、「あなたは少年か？」と聞く人はいません。こんな会話は、現実の世界では絶対に登場しません。

あるいは、Is this a book? No, it is not. It is a desk. という会話。これもありえないものです。机を指差して、「これは本か？」と聞く人がいるでしょうか？

これらの文章は、単語も正しいし、文法も間違っていません。しかし、全体として、このような会話は現実にはありえないという意味で、間違った会話なのです。

英語の勉強が面白くないと思う大きな原因は、このことにあるのかもしれません。つまらない内容を勉強しているのです。

数学の勉強であれば、問題を解く楽しさがあります。理科も社会も、新しい知識を得る楽しさがあります。国語の勉強で用いる教材も、内容に興味があります。しかし、英語の教材はつまらないのです。

この問題をどう解決するかが、英語の勉強法の一つのポイントになります。このことはあまり重視されていませんが、重要なことです。つまらないことを教材にして、勉強が進むはずがありません。

## 映画や歌の英語を覚えても、入試には役立たないどころか、有害

では、内容が面白い英語ということで、映画の英語で勉強したらどうでしょうか？

私の世代が英語を勉強したとき、英語は学校英語しかありませんでした。だから、こうした勉強法は不可能でした。しかし、いまでは、映画の英語を聞くことは簡単になりました。インターネットで聞くこともできます。

しかし、映画の英語を勉強しても、受験に役立つかどうかは疑問です。例えば、戦争映画では兵隊の英語が登場しますが、これは俗語が多く、正確な英語ではありません。

歌詞もそうです。例えば、ビートルズは、「Ticket to Ride」で“She don't care.”と歌っています。これは、学校の試験では、間違いとされます。「イギリスでは（あるいは、世界では）認められている」と抗議したら、どういう反応があるでしょうか？

では、文学作品ならよいかといえば、そうでもありません。高級すぎて、分からないのです。ロマン・ポランスキイの映画『マクベス』は原作に完全に忠実で、原作通りの台詞です。留学生時代にこれを見たとき、台詞がまったく分からず、驚きました。daggerという言葉しか分からなかったのです。

学校英語の勉強のためには、正式なアメリカ英語を聞く必要があります。せめてニュースを聞くべきです。

勉強や専門家とのコミュニケーションであれば、俗語は不必要です。ジョークが分からなくても、（楽しみは減りますが）気にする必要はありません。

アメリカの映画館で皆がゲラゲラ笑っているのに、私にはまったく分からなかった経験があります。逆に、外国映画を上映している日本の映画館で、外国人1人だけが笑っています。「この話のどこがおかしいのか？」と不思議でした。

しかし、勉強や仕事に関する限りは、ジョークが理解できなくとも、問題はまずありません。とくに学校の英語では、真面目な話が理解できればよいのです。

## 聞くことと読むことが必要

実際の場面で必要なことの大部分は、聞くことです。そして読むことです。

これは、留学生になった場合を考えれば分かるでしょう。英語に接する時間の大部分は、教室で講義を聞くこと、そして、書籍や論文を読むことです。

試験の答案を書くことも必要ですが、あまり長い文章は書きません。大学院生であれば論文を書く必要がありますが、それは、後になってからのことです。

聞き取りは日本人にとっては難しいのですが、日本の学校の試験では、あまり難しい問題は出ないでしょう。出題者が聞き取れないからです。出題者は、普通のネイティブスピーカーに比べて、聞く能力がずっと低い。出題者の心理として、自分にできないことは出題しないでしょう。これは他の科目ではないことで、英語聞き取りの特殊事情です。

日本人が英語を聞き取れないのは、内容が高度で難しいからではありません。まったく逆であって、話者の能力が低いから難しいのです。

インターネットが普及して、読むことの必要性が増えました。ですから、読むことに重点を置く教育は、正しいといえます。書くことと読むことについては、本章の4で述べます。

## 試験では読むことの比重が圧倒的に高い

試験の英語のほとんどは、文章を読んで理解することです。それに加えて、聞くことと書くことのテストが少しあるだけです。

話す必要はありません。なぜでしょうか？　まず何よりも、テストが簡単ではありません。一人一人個別にテストする必要があります。そのためには、試験をする側で、大変な労力が必要です。

もっとも、この問題は、将来ＡＩ（人工知能）が発達して採点してくれるようになれば、解決できるかもしれません。ただし、その場合にも問題が残ります。なぜなら、採点が難しいからです。話す英語の正解は、いくつもあります。環境によってどれが適切かが異なる場合もあります。

話す英語のテストについては、次項で再述します。実は、仕事においても、話すことはあまり重要ではありません。「英語を流暢に話せるようになりたい」と考えている人が多いのですが、話す訓練は必要ありません。聞くことが完全にできれば、自動的に話せるようになります。

## 「話す力」のテストは難しい

「英語を話す力」を入試でどう扱うかについては、さまざまな紆余曲折がありました。

東京都内の中学3年生が受験する英語スピーキングテスト「ESAT-J」が、2022年11月27日に実施されました。受験者は約7万人。都立高校入試の合否判定にも用いられます。受験生はイヤホンで音声を聞きながら、手元のタブレット端末に解答を録音します。試験時間は約15分で8問。共同でテストを開発したベネッセコーポレーションの関連企業のスタッフが、フィリピンで評価します。

しかし、課題は多々あります。研究者らは「多くの録音を短時間で公平に採点できるか疑問」と指摘。入試への導入中止を求める約2万3000人分の電子署名を提出しました。また、ESAT-Jの結果を入試に使わないよう求める住民訴訟が、2022年11月、小池百合子東京都知事や都教育委員会などへ起こされました。福井県は2018、19年に外部機関の協力を得て試行しましたが、他の生徒の回答が聞こえるなどの問題があり、導入を見送りました。

なお、大学入学共通テストへの英語民間試験の導入も試みられたことがあります。この目的も、スピーキング力を測ることでした。「話す」能力を約50万人の受験生を対象に1日で測るのは難しいので、民間の資格・検定試験を活用しようということになったのです。しかし、公平性の他にも、「民間に丸投げ」などの批判が出ていました。そして、2020年度から始まった大学入学共通テスト（共通テスト）で導入が予定されていましたが、結局、見送られたという経緯があります。

## 2

# 単語を覚えるのでなく、文章を丸暗記する

### 単語を覚えようとする間違い

多くの人が、単語帳を使って英単語を覚えようとしています。意味を知らない単語を単語帳に書き出し、それを覚えるという方式です。

しかし、この方法では、いつになっても英語は上達しません。単語帳の言葉を一つ一つ、別々に、孤立して覚えようとしても、できません。**人間は関係のないものを、バラバラに覚えることができないのです。だから、英単語を孤立して覚えることはできません。**これは外国語に限ったことではありませんが、とくに外国語についてはそうです。

その証拠は、略語を覚えるのが難しいことです。例えば、SDGs、NFT、IOT、WHO、LGBTなど。SDGsだったか、それともSGDsだったのか、分からなくなったりします。

略語を覚えるより、もとの言葉を覚えるほうが、ずっと楽です。例えば、SDGsでなく、

Sustainable Development Goals のほうが覚えやすい。意味を知って覚えるからです。

意味がないことであっても、つながっていれば、そして繰り返せば、覚えられることがあります。そして忘れません。「門前の小僧習わぬ経を読む」といわれる通りです。私は、子供の頃、英語のクリスマスソングや映画のテーマソングをいくつも覚えました。いまでも思い出せますが、意味が分かりません。

また、英語に限りませんが、人の名前は忘れやすいものです。これは、孤立した短い言葉だからです。短いから忘れてしまうのです。長いほうが忘れません。落語に出てくる「寿限無寿限無（じゅげむ）……」は、長いから忘れないのです。

**記憶を確実にする方法は、覚える内容を長くすること、そして、意味ある内容を覚えることです。**できれば、ひとまとまりの文章として覚えることです。

記憶は、人間の頭の中にいつまでも存在するけれども、引き出せなくなってしまうのです。忘れてしまうのではなく、思い出すのが難しいのです。

私のイメージでは、時間が経つにつれて記憶は徐々に沈んでいく。何か手がかりがないとつかめなくなります。

ですから、記憶は、関連づけで思い出せます。何かを思い出すと、それとの関連で芋づる式に出てくるのです。

忘れてしまった人名を思い出すために、「あ」から順に確かめることを、多くの人がやっているでしょう。最初の1文字との関係で、名前を思い出せることが、よくあるからです。「か」まで来て、「加藤君だった」と思い出す、といった具合です。

デジタル情報の場合も、時間が経つと、記憶装置には残っているが、引き出せなくなります。ですから、「検索」は偉大な発明です。

ところが、人間の脳にある情報に対しては、「検索」はできません。仮にできても、検索語が分かりません。

## 文章を丸暗記する

では、どうしたらよいでしょうか？　単語ではなく、**文章を丸暗記すればよい**のです。なるべく長い文章（できれば本一冊）を暗記します。文章を覚えていると、一つのきっかけから大量の記憶を引き出せます。

私がこの方法を発見したのは、中学生のときでした。学校の代表として英語弁論大会で話す必要があり、スピーチの全文を覚える必要があったからです。そのとき、最初を思い出せば、つぎは自動的に出てくる、どこか途中を思い出せばその後は出てくる、ということに気づきました。

そこで、高校生になってからは、ひたすら文章を暗記しました。翻訳はしません。ただし、意味は理解します。

勉強して頭が疲れたら、息抜きのために英語を読んでいました。暗記しようと特別の努力をするのでなく、ただ読んでいるだけですから、精神的な負担はありません。20回ぐらい読めば、たいていは覚えられます。音読するほうがよいと思います。五感を使うからです。

ですから、英語の勉強で苦労はしませんでした。早い段階でこの方法を見つけられて、私は運が良かったと思います。

この方法の問題は、時間が必要なことです。一夜漬けはできません。

なお、一見して非効率です。意味を知っている単語を含めて覚えるのでは、記憶容量をたくさん使ってしまうような気がします。しかし、人間の記憶容量はそれほど小さくありません。ほぼ無限に覚えられます。すでに述べたように、引き出せなくなるだけのことです。

この方法で覚えた英語は、学校を出た後も有用です。ですから、受験というインセンティブと勉強時間が与えられたことを、ありがたいと思って実行すべきです。

## 「部分（単語）から全体（文章）」でなく、「全体から部分」

第2章で、数学について、「部分（基礎）を積み上げて全体を理解しようとするのでなく、全体を把握して、部分（基礎）を理解するほうがよい」と言いました。

これまで述べてきた分解法と丸暗記法の違いも、同じです。分解法では、単語を文法によってつなぎ合わせて、文章を理解しようとします。つまり、部分を積み上げて全体を理解しようとするのです。

それに対して、丸暗記法は、文章を暗記して、そこから単語の意味を理解しようとします。つまり、「全体を把握して、部分を理解する」のです。数学の場合と同じく、分解法では成果が上がりません。**丸暗記法のほうがずっと効率的な勉強法**なのです。

なお、第2章では、「基礎は退屈だし、理解するのが難しい。そこで留まるのでなく、できるだけ早く先に進むほうがよい。そうすれば、基礎の意味が理解できる」と言いました。英語についても同じです。「単語」や「文法」という「基礎」に留まっていると、興味を失い、英語の勉強は苦痛になります。それに対して、文章を読めば、好奇心が満たされ、知識が増えます。そして、ますますたくさんの英語文献を読みたくなります。

## 丸暗記法で勉強した人々

「丸暗記がよいとは、信じられない」という意見があるかもしれません。しかし、これは、私の勝手な思い込みではありません。

ハインリッヒ・シュリーマンは語学の天才です。15歳で多くの外国語を習得し、貿易商を営みました。それに成功して資金を貯め、トロイの遺跡を発掘したのです。彼も丸暗記法で、外国語の文献をいくつも覚えました。決して翻訳しません。

リンカーンは貧しい家に生まれて独学で勉強しましたが、本を持ち歩き、常に声に出して読んでいました。声を出して読み、耳で聞けば、黙読するよりも理解力が高まるのです。リンカーンは、音読した本のほとんどを暗記していたといわれます。

もう一人は、フォン・ノイマン。ハンガリー生まれの天才数学者です。アメリカで仕事をするため英語が必要になったのですが、彼も丸暗記法です。

英語の教師が丸暗記法を勧めないのは、重大な問題です。本当は、「ここからここまでを全部暗記せよ。1時間たったら皆の前で暗唱させるから、真面目にやれ」と言って、あとは居眠りしていればいいのです。

丸暗記だけだと、教師のすることがなくなってしまう。だから失業してしまうと考えるのかもしれません。しかし、皆の前で発表してできなければ恥をかくというインセンティブを与えておけば、英語のクラスは意味を持つことになります。

## 何を暗記したらよいか

本節の初めで、「単語帳で勉強するのは間違いだ」と言いました。一方、本章の1では、「『でる単』の思想が正しい」と言いました。

この2つは矛盾しません。どんな文章を覚えるかについて、「でる単」の認識は意味を持っているからです。つまり、**「試験に出てくるような文章を暗唱すればよい」**のです。試験に出てくる文章は、出題者が日頃読んでいる文章です。あるいは、かつて読んだことがある文章です。それらを読めばよいのです。

学校の試験のためには教科書を暗記すればよいのですが、内容が面白くないのが欠点です。

"Are you a boy?"では、馬鹿らしくて暗記する気になれません。退屈なものでは続きません。

歌詞を覚えることが考えられますが、本章の1で述べたように、ビートルズやプレスリーは注意が必要です。「she don't care. はビートルズが使っている」と主張しても、先生は認めてくれないでしょう。「プレスリーが『Hound Dog』で You ain't nothin' but a hound dog. と歌っているように、二重否定は肯定形になるのでなく、否定の強調だ」と主張しても、だめでしょう。

詩は正確な英語です。しかし、試験に出てくるような単語が、そこに出てくるでしょうか？高級すぎる言葉が多くなるという問題があります。

そこで、これらの中間をとって、小説や随筆を読むのがよいでしょう。シュリーマンは、小説を全文丸暗記しました。英語の勉強のためにゴールドスミスの『ウェイクフィールドの牧師』と、スコットの『アイバンホー』。フランス語の勉強のために『テレマコスの冒険』と『ポールとヴィルジニー』。シュリーマンの自叙伝『古代への情熱』に、そのように書いています。

フォン・ノイマンが使ったのは、ディケンズの『二都物語』と『エンサイクロペディア・ブリタニカ』（百科事典）です。

私がお勧めするのは、シェイクスピアです。中学生のときに覚えた台詞をいまでも忘れないのですから、強力な方法であることは間違いありません。

もう一つは政治家の演説です。ケネディ大統領就任演説。そして、エリザベス1世のティルベリー演説（スペイン無敵艦隊の攻撃でイングランドが存亡の危機に立たされたとき、最前線の将兵に向かって、白馬の上から My loving people と呼びかけた悲痛な演説）など。

繰り返しますが、暗記の対象は長いものほどよいのです。長編小説は難しいでしょうが、短編小説ならできます。私は、ヘルマン・ヘッセの短編小説 *Der Dichter*（詩人）の全文を暗記しました。いまでも冒頭の Es wird erzählt... から始めて、ロボットが話すように、自動再生できます。

## この方法で大学に入れる

日本語に対応させるのではなく、その単語が含まれている文章を覚えることによって、単語を覚えます。文章を丸暗記すれば、特別意識しなくても、単語を忘れません。

単語の意味は文章から分かります。例えばresilientという言葉の意味を、「柔軟」という日本語に対応させて覚えるのではなく、children are resilientという文章で覚えます。

文法は文例で分かります。冠詞の使い方と前置詞の使い方は、日本人にとっては非常に難しい。文例を暗記するのが最も効率的です。

本章の1で、「英語で高得点を取れば大学に入れる」と言いました。英語のウエイトが高い大学なら、必ず入れます。そして、英語は沢山の文章を丸暗記すれば良い成績が取れます。時間さえかければ、誰にでもできます。ですから、英語丸暗記によって、大学受験に合格できるということになります。

これだけやればよいという意味で、十分条件です。正確に言うと、完全に十分というわけではないのですが、ほぼ十分です。

しかも、苦しい過程ではなく、楽しい過程です。塾に行く時間があったら、英語の文章を丸暗記するほうがはるかに効率的です。

# 3 分解法だから英語ができない

## なぜ分解法ではだめか

日本人の多くが、「分解法」で英語を勉強しています。これは、単語を覚え、それを文法でつなぎ合わせようという方法です。

しかし、この方法はうまくいきません。なぜなら、日本語と英語は、異なる体系の言語だからです。次項で述べるように、英語と日本語は一対一の対応をしないのです。

同じ系統の外国語の間でも、分解法より丸暗記法のほうがよいのです。シュリーマンはドイツ人です。英語とドイツ語は同系統の言語ですから、分解法でもできるでしょうが、それでもなお、丸暗記しました。

フォン・ノイマンはハンガリー人で、ハンガリー語は英語とかなり違う系統の言語なので、丸暗記は合理的です。ましてや、日本人の場合はそうです。

## 英語と日本語の単語は、一対一の対応をしない

例えば、haveという言葉の意味を「持つ」と覚えるのは、間違いです。それ以外の意味がたくさんありますし、現在完了形にも使われます。また、I have got to do.といえば、I must do.の意味になります（I've gotta do.というのは、口語でよく使う表現です）。haveを「持つ」と考えると、混乱するでしょう。

逆に、「持つ」という意味の英語は、haveだけではありません。bear、carry、wear、hold、possessなど、さまざまなものがあります。これらを、場合によって使い分ける必要があります。

このように、日本語と英語の単語は、一対一の対応をしません。多対多の対応になるのです。これは、動詞の場合にとくに顕著です。do、get、let、makeなどの言葉について、haveと同じような問題があります。

ですから、英語の言葉を単語帳で覚えようとすれば、混乱するばかりです。それらの言葉が使われている文章を覚えるしか、方法はありません。

## 英語と日本語は、文法でも一対一の対応をしない

文法についても、日本語と英語には一対一の対応がありません。

中学生のときの英語の授業で、ある生徒がした質問を、そのときの情景とともに、いまでもはっきりと覚えています。

「私は少年です：I am a boy.」の文章について、「私」はI、「少年」はa boy、「です」はam、であることは分かりました。それでは、「は」に対応する英語はどれなのですか？という質問です。

これは、英語と日本語の文章構造が一対一の対応関係にあるとの誤解から発せられた質問です。こうした誤解にとらわれている限り、英語は上達しません。

英語と日本語が一対一に対応しないのは、学び始めの中学生には分かりません。だから、「日本語の『は』に対応する英語は何なのか？」とは、自然な疑問です。日本語では、「私は」と「私が」では意味が微妙に違います。「それを英語でどう区別できるか？」というのは、大変「良い」疑問のように思えます。しかし、この疑問は、実は間違いなのです。

私はこの質問にあまりにびっくりしたので、先生の答えを覚えていないのですが、教師は、「そのように考えては、英語は上達しない」と教えるべきです。「英語は日本語と別の体系なのだから、日本語に対応づけようとせず、英語の世界で物事を考えよ」と教えるべきです。

英語と日本語がまるで違う言語であることの例は、これ以外にもいくらでもあります。例えば、日本語では命令形はかなり強い意味になり、目上の人に対してはおろか、対等の人に対しても使いません。ところが英語では、どんな人に対しても、ごく普通に命令形の文章を使います。

なお、分解法のもう一つの問題は、退屈なことです。単語覚えも退屈、文法も退屈。こういう勉強をしているから、嫌になってしまうのです。

## 英語脳を作る必要がある

では、どうしたらよいでしょうか？

This is a desk. であれば、机を指差している姿を想像します。そして全体を一括して覚えるのです。翻訳はしません。ただ、意味は理解します。

つまり、日本語で物事を理解することをやめて、英語で理解するのです。これを「英語脳に切り替える」と言うことができます。これは、日本語とは別の思考回路だと思われます。英語で討論する場合なども、即座に反応する必要があるので、英語脳で考えていないと対応できません。

ですから、英語の授業を日本語でやるのは、おかしいのです。英語の授業は英語で行なうべきです。英語脳を作るためです。

日本では、漢文を日本語に直す方法が長く続いたので、それと同じ方法で英語を教育しようとする考えがありました。明治の中頃に英語教育を始めるときに、どちらにすべきかという論争があったのです。

「正則」というのが、いま行なわれている方式です。「変則方式」（漢文と同じように読む）にしないでよかった。そうしたらどうしようもなかったでしょう。それでも漢文方式の名残があって、英語の学び方の基礎になってしまっているのです。

正則方式をもっと進めて、授業のすべてを英語で行なうというOral Direct Methodが最も望ましいのですが、これは教師の力不足で実現しませんでした。いまに至るまでそうです。

## 分解法が役立つ場合もある

なお、私は、英語を最初から分解法で勉強することに反対しているのであって、ある程度英語を勉強してからであれば、文法の勉強には意味があると考えています。

文法を知っていれば、系統的に理解できるからです。外国語を学ぶプロセスは自国のそれとは違うので、さまざまなルールを活用することが有効です。

バラバラに覚えていたことを総合的に説明されると、発見の喜びがあります。例えば、仮定法。これは、日本語にはない表現です。これは丸暗記法でも習得できますが、文法でこういう規則になっていると知っているほうが理解しやすいでしょう。

ラテン語が語源である単語については、ルールによって意味を推測することができます。例えば、tribute（賛辞。ラテン語で「与える」）が分かると、attribute（帰する）、contribute（conは「一緒に」の意）、distribute、retribute（返礼として与える。retribution罰、報復、仕返し、天罰）などが分かります。

発音が系統的に分かることもあります。例えば、「母音＋子音＋e」の場合、母音部分の発音はアルファベットの発音通りになります。これについて、日本語の音訳が間違っている場合が多く見受けられます。rateは、「レート」でありません。「レイト」です。noteは、「ノート」でありません。「ノウト」です。

# 4
# 英語を書くのは、実に難しい

## これからは書く英語が重要になる

日本語と同じく、英語でも、メールで意思疎通する機会が増えています。これに対応する必要があります。論文の長さの文章は専門家でない限り必要ありませんが、メールの長さの文章は多くの人にとって必要です。

**「英語は会話だ」という誤った認識から脱却する必要があります。会話なら多少文法を間違えても許されます。しかし文章で間違えると、能力が低いとみなされます。**

それに対応するため、英語を書く訓練を学校で行なうべきです。しかし、この教育が欠けています。少なくとも冠詞と前置詞について、徹底的に訓練することが必要です。

しかし、教師の力不足が問題です。教師自身が正しい英語を書けるかどうかは疑問です。

私の世代の英語の授業は、読んで理解することに限られていました。その後、会話の能力が必要といわれるようになり、リスニングのテストも入学試験で行なわれるようになりました。それは良いことですが、どちらも受動的に相手の主張を聞くだけのことです。本当は、自分から発信することが必要です。少なくともメール等の文章で、自分の考えを伝える訓練が必要です。このための訓練は、できるだけ多くの文章を暗記して、それを真似することにつきます。

英語の文章が書けなくても学校教育の課程を終了できる現状は、大いに問題です。

## 冠詞は非常に難しい

正しい英語を書くのは、日本人にとっては非常に難しいことです。とくに難しいのが、冠詞の使い方です。

私は、博士論文を書いていたとき、最後の段階で、「内容はいいが、冠詞がおかしい」と指導教授に言われました。締め切りまで1カ月しかないので、仕方なく、アメリカ人の学生を雇って、直してもらいました。

訂正された文章を見て、「ここはなぜtheなのか?」と質問しても、納得できる答えは返ってきません。何度か口ずさんで、「ここはtheが正しい」と言うだけです。彼らにとっても、うまく説明できないことなのです。

「特定されているものがtheで、されていないものがaだ」というルールは間違いではありませんが、その程度のルールだけで英語を書くことはできません。

## 固有名詞、地名にはtheがつくのか、つかないのか？

学校の英語の授業では、「固有名詞にはtheをつけない。だから、人名や地名にはtheをつけない」と習います。

しかし、そのすぐ後に、「しかし、砂漠・海・川・運河などにはtheをつけよ」というルールが飛び出してきます。例えば、the Pacific、the Sea of Japan、the Nile、the Amazonというように。

また、「山にはtheはつけない」と言ったかと思うと、「ただし、スイスのマッターホルンは例外で、theをつける：the Matterhorn」。「山脈はtheをつける：the Alps、the Rockiesのように」と言います。

天体はどうでしょうか？　月：the Moon、太陽：the Sunはtheをつけますが、火星：Marsは冠詞なしです。月と火星はなぜ違うのでしょう？

国名にはtheをつけないのですが、the United States、the United Kingdomにはtheがついています（「States、Kingdomは普通名詞だから」と説明されてはいますが）。

こうした詮索（せんさく）を続けていると、キリがありません。「要するにデタラメなのだ。規則などない」とあきらめるしかないようです。

しかし、それにもかかわらず、theの使い方を間違えれば、間違った英語とみなされます（私の論文指導教授が言ったように）。だから、正しい使い方を感覚的に判断できるようになる必要があります。

その感覚は、多くの英語の文章を読むことによって、身につけるしかないと思います。「単語を覚え、文法を使って外国語を書く」ということは、できないのです。

なお、こうした事情は、日本の敬語でも同じことです。これについては、第4章で述べます。

最後に、もう一つだけ、付け加えましょう。英文法の本には、「森にはtheをつける。the Black Forestのように」と書いてあります。

ところで、シェイクスピアの戯曲『マクベス』に、「バーナム」という名の森が出てきます。この森の名は魔女たちの有名な予言に出てくるので暗記していたのですが、私はthe Great Birnam Woodと覚えていたのです。

本書の第5章の1でこの予言を引用したいと思い、改めて原典を確かめたところ、なんと、Great Birnam Woodと書いてあるではありませんか？ theがありません！

シェイクスピアが文法を間違えたのか、それとも、16世紀の文法は現代文法と違っていたのか？　謎は深まるばかりです。

## 入試で、長い文章に圧倒されないこと

入試では長い文章を読む必要があります。誰でも、その長さに圧倒されます。

英語には漢字がないので、重要なところがどこなのか、すぐには分かりません。また、話し言葉であれば重要なところは強く発音しますが、書き言葉ではそれもありません。ですから、長い文章の全体が平板にべたりと見えます。これで圧倒されるのです。

これに対処する方法は、「誰でも同じなのだ」と考えることです。誰でも同じように圧倒されているのです。そこでひるむかどうかの違いです。長文暗記をいつもやっていれば、長い文章に慣れることができます。

長い文章を読む場合、核になる主張をまず見出します。正確に書いてある文章であれば、最初に問題意識があり、最後に結論があるはずです。それらを見ます。

とくに、最後にある文章は重要です。それを最初に読むのがよいでしょう。あらゆる文章で必ずそうなっているとは限りませんが、入試に出てくる文章なら、まず、そのように構成されているでしょう。

文章が話し言葉と違うのは、読む順序を選択できることです（これは、日本語の場合も同じ

です)。その特権をうまく使える人は、それだけ有利な立場に立つことになります。

なお、実際の英語では、講義など、長時間にわたって聞くことが重要なこともありますが、長時間のリスニングは入試には出てきません。1時間も聞かせるわけにはいかないからです。これから見ても、入試はバイアスを持っていることが分かります。英語の能力をすべて測っているわけではないのです。偏った測り方をしています。

なお、丸暗記法で唯一対応できないのが、スペリングです。スペリングの問題は出さないでほしいものです。いまは、間違っていればスペルチェッカーが直してくれる時代です。デジタル時代に、スペリングを覚える必要はありません。

## 第2外国語習得は、最も有効な受験テクニック

シュリーマンがたくさんの外国語を習得できたのは、彼の母国語がドイツ語だからです。一つ覚えると、類似の言語は簡単なのです。これは、日本人にとってもいえることです。例えば、英語を覚えれば、それと似た言語であるドイツ語の勉強は楽です。

大学によっては、こうした認識の下に、高校での第2外国語の勉強を奨励し、ボーナスを与えています。

例えば、東京大学入学試験では「第2外国語差し替え」という制度があり、第2外国語の履

修者に有利になっています。

これは、英語の問題の一部（大問4、5）を、他の外国語に差し替えることができる制度です。差し替えできるのは、ドイツ語、フランス語、中国語、韓国語です。「差し替え」とは、大問1〜3の英語の問題をそのまま解答し、大問4、5を別ページに用意された他の外国語の問題で解答することを指します。

第2外国語の4番、5番は非常にやさしい問題なので、ほぼ満点が取れます。

効果はそれだけではありません。第2外国語の4番、5番は短い問題なので、あっという間にできてしまいます。英語の1番から3番では長い文章を読む時間が必要ですが、それに時間を割り当てることができます。

この制度を使うことは、東大の受験テクニックで一番重要な点だと思います。「仮面浪人」の場合にはとくにそうです。

ただし、2年間程度の準備期間が必要です。もっとも、「2年やればできる」と言うこともできます。

私は高校2年のとき、学校が提供する課外授業で、ドイツ語の勉強をしていました。ヘルマン・ヘッセの作品を原語で読みたかったからです。3年生になったら受験があるのでやめようと思っていたのですが、最後に出た問題が、たまたま私が覚えている文章だったのです。ヘッセの『郷愁：ペーター・カーメンツィント』の中で、よく引用される有名な文章です（「この世の中で、雲より美しいものがあったら、教えてほしい」）。

だから、試験問題は完全にできました。そして、先生に褒められ、やめられなくなってしまいました。そして、「牛に引かれて善光寺参り」と似た事情で、3年生になってもドイツ語を勉強し続けたのですが、善光寺様のご霊験はあらたかで、入試の際に「第2外国語差し替え」という特権を利用することができました。

私立では、小学校低学年から2カ国語をやっているところがあります。大変良いことです。受験だけでなく、世界が広がります。これが最も重要なことです。小説は翻訳でなんとか分かりますが、詩を翻訳で鑑賞することはできません。第2外国語を学習すれば、日本語、英語以外の言語の詩を読むことができます。

# 5 受験英語では仕事には不十分

## 英語の文献が読めれば、活動の可能性が広がる

私たちの時代、非常に有名な作品でも翻訳がないものがありました。その一つがＨ・Ｇ・ウェルズのＳＦ『宇宙戦争』です。私は、これをどうしても読みたかったのですが、翻訳がないので、ペンギンブックスを丸善で買ってきて読みました。これは高校生のときです。好奇心から読みたいと思い、そのために英語を勉強したのです。いまの時代では、翻訳があるので、このような楽しさを得ることができなくなりました。便利さが楽しみを奪っています。

一方で、英語の価値が高まっていることも事実です。インターネットには英語の文献がたくさんあります。その文献を利用できるかどうかは、主として英語の力によります。なぜなら、英語は世界語だからです。

検索してみると、ヒットするサイトの数が、日本語に比べて英語の場合には10倍以上になり

ます。日本語では得られない情報を、英語なら得られるのです。

検索結果を英語に限定するという設定ができます。英語だけを検索するという方法は、専門用語については、雑音を排除する意味で重要なことです。

## 差をつけたいのであれば、英語の情報を調べる

１９８０年代、中国の工業化が始まった頃、中国の大学の図書館に行ったとき、中国語の本がずらっと並んでいるのを見て、なんと奇妙な社会だろうと思ったことがあります。ところが、考えてみれば、日本の図書館もそのような状態です。それ以降、中国の図書館は変わったでしょう。それに対して、日本の図書館は変わりません。しかし、考えようによっては、この状況が利用できます。

「アメリカではこうなっている」という指摘は、日本では、かなりの説得力があります。これは、後進国の特徴です。日本でそれが有効なのは残念なことですが、事実です。

世界史の専門知識を身につけたとしても、それが仕事の上で役に立つかどうかは、疑問です。しかし、英語は間違いなく役に立ちます。**先端的な分野では、英語の文献を見れば、驚くべき世界が広がっていることが分かります。**

YouTubeにも有用な情報があります。ただ、知りたい情報がすぐに出てこないため、まど

ろっこしく感じます。文章のほうが手っ取り早い。

英語を使ってできるもう一つのことは、国際機関による統計を参照することです。統計はほとんどが数字で、言葉が必要になるのは、国名や項目名など、ごくわずかしかありません。このためには、ごく簡単な英語で済みます。

日本の統計だけに頼っていると分からないことが、分かります。いまや、日本の統計の状況は、世界的な水準からかなり遅れてきました。日本のことしか分からない場合が多いし、使い勝手も良くありません。それに対して、多くの国際機関の統計はずっと便利です。

## 日本人は活動範囲をもっと広げるべきだ

日本人の活動範囲は、ほぼ日本国内に限定されています。インド人のほうがずっと広い。これは、英語力の差によります。韓国人の英語力も急速に向上しています。TOEICでの成績は香港並みです。ところが日本人の成績は、アジアの最低近くです。

日本人は活動の範囲をもっと広げることができます。外国の会社に就職することも考えられます。日本にいたままでリモート勤務ができるようになりつつあります。このような可能性を実際に利用できるかどうかは、外国語の能力にかかっています。

将来はAIが自動翻訳を行なうでしょうが、それはかなり先のことです。外国語を使えることの重要性は、当分の間、変わらないでしょう。

また、ＡＩによる完全な自動翻訳ができるようになったとしても、人間同士の直接のコミュニケーションの重要性は変わらないと思います。微妙な点についてＡＩには翻訳できない場合があるからです。

例えば、話者が間違えた場合、ＡＩであればそれを正確に間違えて訳すでしょう。しかし人間であれば、うまく収めることができます。このような能力をＡＩが獲得するまでには、まだかなりの時間が必要だと思います。

## 専門用語は分野によって違う

学校の英語が特殊なものであることを、もう一度繰り返しましょう。

まず、正確な英語しか扱っていません。ですから、日常会話の崩れた表現などは理解できません。その意味で、学校英語を知っているだけでは、外国で生活できることにはなりません。

仕事の上で書く英語が必要になるといっても、多くの場合にメール程度で十分です。学者、とくに理工系の学者になるのでない限り、長い正式な文章を書くことはありません。

ただし、**専門家として英語を使うには、分野ごとの専門用語を駆使できる必要があります。**

例えば学者であれば、学会での発表等が必要になりますが、そこでも専門用語が必要です。

しかし、日本の学校では、大学に至るまで専門用語を教えていません。このため、専門家として英語を使えません。これを補うには、自分で勉強する必要があります。

私は、経済学は英語で勉強したので、経済学の英語は分かります。しかし、物理学は日本語で勉強しました。だから、「ニュートンの力学第一法則を英語で言ってみよ。速度、加速度を何と言うのか？　力はパワーか？」と言われても、答える自信がありません。

あるいは、会計学。ここでの英語は、経済学のそれと似ていると思われるかもしれませんが、違います。税関連になれば、また違います。ここでの専門用語はかなり難しい。progressive taxは累進税です。「進歩的な税」という意味ではありません。あるいは、税額控除とは何と言うか？　脱税と節税をどう言うか？　等々。

国際会議では、同時通訳が入ります。必ず事前に打ち合わせをします。ある打ち合わせのとき、「あなた方は『税語』で話している」と言われたことがあります。

以上で述べたことは、受験英語だけでは、英語で仕事はできないことを意味します。受験英語は無駄にはならない基礎になります。しかし、それだけでは仕事はできません。改めて仕事に合わせて英語を学ぶ必要があります。

## 第3章のまとめ

**1** 大学受験で、英語（外国語）は、どうしても必要です。逆に、英語で非常に良い成績を上げられれば、ほとんどの大学に入学することができます。

**2** 学校英語は特殊だという「でる単」の哲学は正しいのですが、単語帳を使うことには賛成できません。文章を丸暗記することが有効です。興味がある文章を丸暗記します。

**3** 単語帳で単語を覚え、文法でそれを組み上げるという「分解法」で英語を理解しようとするから、英語が上達しないのです。ただし、ある程度勉強した後であれば、分解法が役に立つ場合もあります。

**4** 書く英語の重要性がこれから増します。しかし、正確な英語を書くのは難しい。

また、学校での訓練も不十分です。英語を聞き取ることは重要です。聞き取れれば、とくに訓練しなくても、話せます。

5

実際の仕事で英語を使うには、受験英語では不十分です。日本の学校教育では、専門用語の教育が不十分です。

本章で述べた英語勉強法を実践するために
参考となるサイトのリンク集を作りました。
下記の二次元バーコードでご覧になれます。

英語を書くためのリンク集
https://note.com/yukionoguchi/n/n89d4a90589c2

英語を聞く練習のためのリンク集
https://note.com/yukionoguchi/n/nc4410cc34403

第4章

# 文章で
# 能力を
# 評価される

# 1

# 国語の勉強はなぜ難しいか?

## 国語はすべての科目の基礎だが、勉強するのは難しい

国語という学科は、いつも日常的に使っている日本語が対象ですから、とくに勉強しなくてもいいような気がします。しかし実は、国語の勉強は大変重要です。

どんな学科を勉強するにも、教科書や参考書に書いてあることを正しく理解する必要があります。試験の際には、解答として何が求められているかを、問題文を正確に読んで理解する必要があります。そして、さまざまな機会に、自分の考えを正しく表現して、人に伝える必要があります。

このための勉強が「国語」です。ですから、**国語の勉強はすべての勉強の基礎**だといってよいでしょう。

このように重要であるにもかかわらず、国語という学科で何をどう勉強したらよいのかは、

あまりはっきりしません。このため、どう勉強したらよいのか分からず、戸惑っている人が多いと思います。

国語の勉強が難しい理由は、「正解」がはっきりしないことです。どの科目でも、正しい答えと間違った答えの違いは明白です。ところが、国語の場合には、正解がただ一つでない場合が多いのです。

例えば、文章の意味を捉える問題です。いろいろな捉え方ができる文章もあります。どれが正しい解釈かについて、意見が分かれる場合もあります。

表現方法では、もっと意見が分かれます。いくつもの表現法が正しいことがあります。また、どのような表現がよいかについて、好き嫌いがあるかもしれません。正解と間違いの差は、程度の差である場合も多いのです。そうした場合、採点は簡単ではありません。

このため、学校での国語の勉強や試験は、正否がはっきりした内容に偏りがちになります。例えば、漢字の読み方や書き方です。あるいは難しい言葉の意味です。しかし、後で述べるように、こうしたことの重要性は、情報技術の進歩に伴ってますます低下しています。

教える側としても、どう教育したらよいのか、よく分からない場合が多いのではないでしょうか？　こうした意味で、国語の勉強は難しいことです。

## 数学は暗記で済むが、国語は暗記で済まない

ほとんどの科目は暗記で済みます。これまで述べたように、とくに数学と英語はそうです。また、日本史でも世界史でも、教科書を全部丸暗記すれば、かなり良い点が取れるでしょう。ですから、勉強の方法に思い悩む必要はありません。

しかし、**国語は、暗記だけではどうしようもありません**。国語の教科書を丸暗記しても、試験で良い成績が取れるとは限りません。逆に教科書を丸暗記しなくても、勉強の仕方次第では、良い成績を取れるでしょう。

もっとも、「模範的な文章をただ丸暗記すればよい」という考えも、昔からあります。「素読」は、そのような考え方によるものです。私もその考えに反対ではありません。そこで、つぎのようにすることも考えられます。

例えば、『古今和歌集』の序文を丸暗記する。あるいは、森鷗外の文章を丸暗記する、等々。ただし、これだけでよいのかと問われると、自信がありません。国語については、暗記以外にさまざまな訓練が必要です。この章では、その具体的な内容を説明します。

## インプットの訓練が中心で、アウトプットの訓練が不十分

情報のインプットとは、他の人の考えを受け取り、理解することです。そして、情報のアウ

トプットとは、自分の考えを他の人に正しく伝えることです。この2つが、コミュニケーションです。国語の勉強は、それを日本語という道具を用いて行なうための訓練です。

以上は自明ですが、重要なのは、後で述べるように、コミュニケーションは言語以外の手段でも可能ということです。例えば数式です。あるいは図で説明することが可能です。

言葉は強力な手段ですが、コミュニケーションの唯一の手段ではなく、いくつもある手段の一つとして位置づけることが重要です。

ところで、**学校教育では、情報をインプットするための訓練が中心で、情報をアウトプットするための訓練が不十分です。とくに、日本の学校ではそうです。**入学試験問題の多くも、インプットの能力を試すものです。つまり、内容を正しく理解できるかどうかのテストです。

インプットの訓練は、もちろん重要なことです。インプットができないと、アウトプットはできません。しかし、こればかりやっていると、受け身になります。ですから、質問ができません。つまり、インプットはアウトプットの必要条件ですが、十分条件ではありません。

情報のアウトプットは重要なことであり、とくに、文章によるアウトプットは重要です。ところが、学校教育では、このための訓練は十分に行なわれていません。口頭でも文章でもそうです。

こうなるのは、アウトプットの訓練やテストは、技術的に難しいからです。アウトプット能力の教育や訓練は、個別指導にならざるをえない場合が多く、難しいのです。また、試験の答案を読むのに時間がかかるし、採点も機械的にはできません。書き方のテストを行なうのは、さらに難しいことです。こうした事情で、学校教育が、正確なアウトプットができる人間を育てていないのは大きな問題です。

大学では、少人数のクラスである「ゼミ」が行なわれる場合もあります。しかし、学生の側から見ると、1年に数回発表する程度です。多くの人にとって、アウトプット能力をテストされる最初の機会は、就職試験の面接でしょう。

以上はどこの国にもある問題ですが、とくに日本で顕著です。これは日本の国語教育の大きな欠陥です。国際的な場においてもこれが問題となります。日本の発言力が弱くなるからです。

## 文章でアウトプットする機会が増大

インターネットの普及に伴い、日常生活や仕事でのコミュニケーション手段が、対面や電話からメールへと、大きく移行しました。このため、文章を書く機会は昔に比べてずっと増えています。

**文章には、その人の能力がはっきりと表れます。**口語ではごまかせることがありますが、文章ではごまかせません。したがって、大人になって仕事を始めれば、毎日アウトプットの試験を受けているようなことになります。仕事の場で、そして日常生活で、知らない間に、相手に能力を評価されるのです。

しかし、そのための訓練を学校教育では受けていないので、これに対応するために、**「書く訓練」**を自分自身で行なう必要があります。

## 変化する情報技術への対応が必要

情報技術が大きく変化したために、本来はそれに合わせて国語の教育と勉強の方法を変える必要があります。昔からの方法が正しい場合もありますが、大きく変えなくてはならないこともあるのです。

昔からの国語の勉強では、漢字の読み書きが中心でした。しかし、ワードプロセッサで文章を書けるようになったため、漢字を書く必要は大きく変化しました。最近ではAIが文章を読み上げてくれるので、漢字の読み方を知っている必要性も薄れました。ところが、実際の教育の場では、このような変化への対応が十分になされていません。学習指導要領やカリキュラムの変更、そして、学内での試験や入学試験の内容の変更が望まれます。

ただ、こうしたことはすぐにはできないので、これへの対応は、個人でするしかありません。

## 2

# 文章は知能を表す

### 口頭ではごまかせるが、文章ではできない

人間以外の動物も、鳴き声などによって意思疎通ができます。しかし**文字によってコミュニケーションを行なえるのは、人間だけ**です。文字という偉大な発明によって、人類は進化したのです。

これによって、空間的、時間的に離れた相手とのコミュニケーションが可能になりました。文字こそが、人間を人間たらしめている基本的な要素なのです。だから、文字によるコミュニケーションの方法に熟達するのは、大変重要なことです。

口頭の場合には、多少間違えたところで、あまり気になりません。また、声の調子や顔の表情などで補完することもできます。何度も繰り返したり、声の調子で重要なことを伝えたりすることもできます。あるいは、身振り手振りで示せることもあります。しかし、文章ではこう

したことができません（友達へのメールなら絵文字が使えますが）。

それに、口頭のメッセージはすぐに消えてしまいますが、文章はいつまでも残ります。

話し言葉では、話し手の知的水準や、理解の程度などは、必ずしもはっきりは分かりません。しかし、文章ではこれらが分かってしまいます。だから、文章で知的水準を評価されることになるのです。

## あなたはAIによってプロファイリングされている

ＡＩによって「プロファイリング」が行なわれています。これは、インターネットで送られているさまざまな情報を用いて、その人の「プロファイル」を推定しようというものです。ＳＮＳなどの情報が用いられますが、メールも対象になっている可能性があります。

「プロファイル」が推定できれば、その人に応じた広告を送ることができます。これを「ターゲティング広告」といいます。最近ではもっと利用法が広がっています（例えば、選挙の際の利用など）。

推定されるプロファイルとしては、性別、年齢、好み、所得などさまざまな項目があります。これらに加えて、「知的能力」も評価対象になっている可能性があります。

そして、**知的能力の測定のために、文章の質が判断されている可能性があります。文章は、**

**知的能力を測定するための非常に優れた指標だからです。**

例えば、抽象的な言葉が多い、名詞が多い、文法的な誤りが少ない、論理が正しい、などの特性を持った文章を書いている人は、能力が高いと評価されます。

こうしたことは、技術的にはいまでも可能なことで、実際に行なわれている可能性が十分にあります。「コンピュータによって能力を評価される管理社会など、まっぴらごめん」と考える方が多いでしょう。しかし、それとは知らぬ間に、すでにそのようなことが行なわれている可能性があるのです。プロファイリングを行なうことに対しては批判があり、これを制限しようとする動きがあります。実際、そうした制約が進む可能性もあります。しかし、まったく行なわれなくなるということは考えられません。むしろ、プロファイリングはもっと広範に行なわれるようになるでしょう。

**正しい文章が書ければプロファイリングの評価が高くなるので、むしろ、それを積極的に活用して、正しい文章を書く努力をすべきでしょう。**

そうなれば、**正しい文章を書くのは大変重要なこと**になってきます。正しい文章を書ければ、知らないうちに社会的評価が高まっていくことになります。会社で働いている人は、まわりの人や上司から能力を認められて、新しい重要な仕事を与えられるでしょう。会社の外から勧誘されることもあるでしょう。思いもかけないところから転職の誘いが来るかもしれません。世界は、すでにそのような状態になっているのです。それが今後さらに進展していくでしょう。

## 文章は、能力を簡単に測れる正確なシグナル

正しく分かりやすい文章を書ける人は、能力がある人です。逆に、能力がある人は、正しく分かりやすい文章を書くことができます。

これほど明確に能力を示す指標はありません。これを「シグナル」と呼ぶことができます。わざわざ試験をしなくても、文章を見れば、簡単に能力を測ることができるのです。

したがって、人材を評価する側としては、文章を見ることによって簡単にその人の能力を測ることができます。

能力を評価されたい側は、積極的にこれを活用すべきです。つまり、**正しく分かりやすい文章の発信を頻繁に行なうべきです。そうすることによって、自分が能力を持っていることを、相手に知らせることができます。**

こうして、評価する側としても、評価される側としても、文章が最も簡単で正確な使いやすい指標となるのです。

このような意識的な手続きを経た評価だけではありません。人々は無意識のうちに、日々の仕事や生活の中で、文章を指標として他の人の能力を評価しています。

## 分かりやすい文章を書くには、内容を理解していることが必要

分かりやすい文章を書くために何よりも重要なことは、内容について書き手がよく理解していることです。そして、それを相手に理解してもらいたいという強い熱意を持っていることです。

伝えたいことがなければ、文章を書けるはずがありません。自分でもよく理解していないことを伝えようとしても、相手が理解してくれるはずはありません。

ところが、実際には、文章を書かなければならない状況に追い込まれ、内容について理解していないことを書いている人がいます。

伝えたい内容は、複雑な理論とは限りません。もっと簡単で単純なこと、例えば「散歩の途中で小さな花が咲いているのを見て感激した」というようなことでもよいのです。その感激を他の人に伝えたいと思えば、文章を書くことになるでしょう。

こうした文章に出会ったら、怪しいと疑ったほうがよいでしょう。

「よく知られているように」とか「通説では」とごまかす。あるいは、専門用語を振りかざす。

ただし、伝えたいという意欲を持っていたとしても、伝え方がうまくないと、伝わりません。それが文章の書き方の問題です。それは、技術、テクニックであり、ノウハウです。たった一つの注意が、文章の書き方を大きく変えることもあります。

## フォーマルな文章とインフォーマルな文章

どの国の言葉にも、フォーマルとインフォーマルの区別があります。日本語でも同じです。日本語の場合、その区別は他の言語（とくにヨーロッパの言語）より大きいといえるでしょう。文語体と口語体の区別もあります。

口語の場合、親しい友達に話す場合と、仕事で他社の人と話す場合とでは、言葉遣いが異なります。

文章の場合にも、友達にメールを書いたり、ツイートしたりする場合は、インフォーマルです。匿名のツイートを書くのは手軽で、日記を書いているのと同じようなものです。しかし、それらと仕事上の文章は違います。論述文になると、さらに違います。

本書で対象としているのは、フォーマルな文章、つまり仕事上のメール（会社の中や取引先との文書）、あるいは論述文です。

## 日本語では敬語が重要

日本語には、敬語があります。これを正しく使うことは、大変重要です。

敬語には、３種類のものがあるとされます（文化審議会答申は、２００７年に、従来の３分類を改定し、５種類の敬語があるとしました。ただし、基本的には、従来からの３分類で理解すればよいでしょう)。

(1)尊敬語は、相手を持ち上げる表現です。動詞・名詞ともに尊敬語が存在します。相手の行為は、尊敬語で表現する必要があります。

例えば、「○○様」「御社」、「いらっしゃる」「おっしゃる」など。

(2)謙譲語は、自分がへりくだる表現です。動詞・名詞ともに謙譲語が存在します。自分の行為は謙譲語で表現する必要があります。

例えば、「拙著」「私(わたくし)」、「申し上げる」「拝見する」など。

(3)丁寧語とは、言い回しを丁寧にする表現です。例えば、「〜ます」「〜です」。あるいは「お」を付けるなど。

敬語は、ヨーロッパ系の言語にはないものです(まったくないわけではないのですが)。外国人は、この点で日本語を難しいと感じるでしょう。

例えば「手紙を送る」という場合、英語では、自分の場合もsendですし、相手の場合も

sendで、区別する必要はありません。しかし、日本語では違います。自分がメールを送る行為をどう表現するか。「お送りする」なのか、「送ります」なのか？　後述するように、答えは自明ではありません。

また、英語では命令形を簡単に使いますが、日本語では命令形を使うと、無礼だと受け止められます。「○○してください」、「○○していただければ幸いです」、「どうか○○してくださるようお願いいたします」などの表現をすることが必要です。

## 日本人は敬語が使えなくなってきた

敬語が日本語の中で重要な意味を持っているにもかかわらず、日本人の敬語の使い方がまるでデタラメになってきました。謙譲語が使えない、丁寧語と尊敬語の区別ができない、などの問題です。

こうしたことになった大きな理由は、友人へのメールやSNSで気楽な文章を書く機会が増えたことでしょう。それに慣れてしまって、**仕事上の文章でも敬語を使えなくなってきている**のです。

「打ち合わせはこの日にしてください」というメールを送ったところ、「この日にしたいとのことですが」という返事が返ってきたことがあります。あるいは、「日程につき連絡してください」というメールをもらったこともあります。

これらは、いずれも相手の行為に尊敬語を用いておらず、敬語の最も基本的なルールを無視しています。書いている人は、こうしたメールを送れば、受け取り手が不快に思うとの認識がないのでしょう。

対面で話していたり、事務連絡を電話でやりとりしていたときにもこうしたことがあったはずですが、あまり気になりませんでした。ところが、メールではまったく事情が違います。文章として残っていて、いつになっても消えません。「なんと失礼なメールだろう」と思うと、何度もそれを見直してしまいます。

コロナ禍以来、対面や電話に比べて、メールで連絡を取り合う機会が飛躍的に増えました。このため、敬語ルールを無視したメールを受け取る機会も増えたのだと思います。

それまでは能力があると評価していた人からこのようなメールを受け取ると、とても残念に思います。

こうした人たちが敬語ルール違反のメールを送っているのは、私に対してだけではないでしょう。したがって、多くの人たちが、その人について、私と同様の評価をしているはずです。

そして、社外の人たちは、無礼メールを受け取っても、注意することはないでしょう。したがって、この人はこれからも無礼メールを送り続けることになるわけで、まったく気の毒なことです。

国語を粗末にする国が栄えるはずはありません。日本衰退の基本的な原因は、日本人が日本語を、とくに敬語を、正しく使えないようになったことではないかと思えてなりません。

## はっきりしないところがある敬語のルール

第3章の4で、冠詞の使い方について、「英語はまったくデタラメだ」と言いました。それなのに、間違えると英語でないとされます。なんと身勝手なことでしょう。

しかし、日本語にも同じ問題があります。それは、敬語のルールです。

相手の行為や持ち物には敬語や丁寧語をつけることになっています。「お手紙」のように。

しかし、「お書簡」とはいいません。「ご書簡」といいます。

そして、メールだと「お」も「ご」もつけません。そこで、「メールの御連絡ありがとうございます」などと言う必要があります。

ここには、一応のルールはあります。つまり、訓読み（あるいは、もとからの和語）には「お」、音読み（あるいは、漢語由来）には「ご、御」をつける、そして、ヨーロッパ語系統の外来語には何もつけない。

では、相手の自家用車は何と呼べばよいのでしょうか？

和語である「くるま」を使えば、「お車」です。しかし、漢語由来である「自動車」「自家用車」を使いたい場合には？「ご、御」はおかしい。では、なんと言ったらよいのでしょうか？

## 敬語の使い方で生活環境が分かる

私自身も、敬語の使い方で迷う場合がしばしばあります。

「お送りします」「お答えします」「ご返信いたします」など、自分の行為に「お」や「ご」をつけるのは、丁寧語なので許されるでしょうか？

文化審議会答申は、これらの表現は許されるとしています。しかし、どうも落ち着きません。「お」をつけるのは謙譲語だとの説明もありますが、自分の行為に「お」をつけて謙譲語になるのでしょうか？

また、「お送りいたします」は「お送りします」よりも敬意の度合いが高いという説明もありますが、二重敬語になるので間違いではないか、とも思えます。

「送らせていただきます」は敬語表現だといいますが、さらにおかしいように思えます。「お送り申し上げさせていただきます」のように過剰になると、明らかに奇妙です。

どのあたりが適当かという判断は、その場のさまざまな事情を考慮して判断するしかないと思います。日本語はまったく微妙です。

敬語の使い方をいちいちルールを参照して判断するのは、大変です。感覚として、「これが正しい、どこかおかしい」などと、感じられるようにならなければなりません。この感覚は、学校や家庭の日常生活の中で、まわりの人々も含めて、正しい敬語を使うことによってしか獲得できないものです。だから、**敬語の使い方を見ていると、その人の生活環境が分かってしまうのです。**

## メールの「Re:」返信がなぜ失礼か

「ご検討くださるようお願いいたします」というタイトルのメールを送ったところ、「Re: ご検討くださるようお願いいたします」というタイトルの返信が来たら、失礼だと思います（「Re:」は、Regarding の意）。最初の発信者が自らを低くし、相手を高くしている状態を是認しているからです。これでは、王様からの返事になってしまいます。

正しくは、「Re:」でなく、タイトルを書き換えて、「ご提案ありがとうございます」というようなタイトルの返信メールにすべきです。

「Re:」を使ってよいのは、中立的なタイトルのときに限られます。例えば、「12月定例会の件」というメールへの返信なら、「Re: 12月定例会の件」のタイトルでよいでしょう。しかし、「12月定例会のご出欠をお知らせください」の場合は、だめです。

# 3

# 文章には、3種類のものしかない

## 3種類の文章

文章には、つぎの3種類のものがあります。そして、実は3種類しかないのです。このような認識の下で、文章に臨むことが重要です

**第1は、150字程度**のものです。これは現在のツイートの長さです（ツイートの長さは、将来はもっと長くなる可能性があります）。雑誌記事や新聞記事の長めの解説記事などでは、冒頭にこの程度の長さの要約があるのが普通です。

**第2は、1500字から3000字程度**のものです。これは、まとまった考えを述べるために、最低限必要とされる長さです。新聞の社説は、ほぼこの長さの文章、あるいはそれより若干短い文章です。

そして**第3は、10万字程度**です。書籍がこの長さです（これは、普通の単行本の場合です。

この数倍の分量の本も、もちろんあります）。

文章を書く方法は、この3つで大きく違います。長い文章と短い文章があるということは誰でも意識していますが、読み方や書き方に差があることは意識していません。このことを明確に意識することが必要です。

これは形式的な区別であり、文字数による区別です。しかし、単に量的な違いだけでなく、この3種類の文章の読み方や書き方は、まったく異なるのです。

文章の区別というと、普通は内容に従った分類になります。例えば、論述文、紀行文、感想文、論文、エッセイ、小説等々です。しかし、文章を読んだり書いたりするという観点からすると、内容による分類よりも、このような形式的区別のほうが重要なのです。

なお、これ以上に細かく区別する必要はありません。例えば、150字の文章と200字の文章に本質的な差はありません。また、300字の文章とは、150字の文章が2つ集まったものだと考えることができます。

「3000字の文章も4000字の文章もあるではないか」という反論があるかもしれません。確かにそうです。しかし、それらは、1500字の文章と基本的に同じものです。

1500字の文章を10個集めても、自動的に15000字の文章になるわけではないのです。15000字の文章を書く場合には、1500字の文章をどう組み立てていくかという問題が重要になります。読む場合も、１５０字の文章を読む場合とは違う方法が必要です。**読む場合も書く場合も、右の3つの文章ではアプローチの仕方が違う**という点が重要です。

## 150字の文章を書く訓練が必要

１５０字の文章については、「複文を避ける」とか、「修飾語を被修飾語の近くに置く」といった書き方の注意が必要です。これによって、分かりやすく、正確な文章を書くことができます。この具体的な方法論について、次節で述べます。

１５０字程度の長さの文章を書く訓練は、学校でも行なってはいますが、十分とは思えません。入学試験などでは、この長さの文章を正しく書くことがテストされることがあります。ただ、これだけでは、書く能力をテストしたことにはならないのです。１５００字程度の文章を正しく書けるかどうかは、１５０字の長さの文章のテストでは分からないからです。

なお、１５０字程度の長さの文章を読む訓練は、とくにする必要はありません。ただし、読む対象には気をつける必要があります。ツイートばかり読んでいると、そのレベルの文章しか書けなくなります。論述文や文学作品を読むことが必要です。

## １５００字の文章を読んで理解する訓練が必要

まとまった意見や主張、発見などを伝えるためには、１５０字の長さでは短かすぎます。このためには、１５００字程度の長さの文章が必要です。

新聞の社説はほぼこの程度の長さです。こうした文章を読んで趣旨を理解し、論理構造を理解する訓練が必要です。

この教育は行なわれていますし、テストもされています。センター試験の国語の試験は、このレベルの文章について内容の理解度を問うものが中心です。

では、このためにどのような訓練をしたらよいでしょうか？　１５００字程度の文章を読む教材として何がよいでしょうか？　教科書だけでは不十分です。もっとたくさん読む必要があります。では、何を読んだらよいでしょうか？

新聞の社説は、内容が面白くないかもしれません。また、学生にとっては理解するのが難しいかもしれません。あるいは興味を持てないかもしれません。さらに、論じられていることについての基礎知識がない場合が多いでしょう。例えば、半導体産業についての社説は、半導体産業のことを知らないと理解できません。

知識を前提としないものとしては、朝日新聞の「天声人語」、読売新聞の「編集手帳」、毎日新聞の「余録」、日本経済新聞の「春秋」などがあります。あるいは、日経の「大機小機」などの囲み記事もあります。こうした記事に反論を書いてみるのは、文章を書くための良い訓練になるでしょう。

書籍になっている文章は、随筆でもこれよりは長くなります。そこで、序文を読むことが考えられます。『古今和歌集』序、ポアンカレの『科学と方法』の序文など。

適当な長さのものとして、『徒然草』や『枕草子』があります。原文では意味が取りにくいかもしれないので、現代語訳がついたもので意味を知るのがよいでしょう。そして原文は、何度も読んで覚えること。『聖書』もよいかもしれません。

随筆集がいろいろあります。寺田寅彦、小林秀雄、伊丹十三の随筆集、『物理の散歩道』など。

もう少し長いものとしては、シュテファン・ツヴァイクの『人類の星の時間』など。小説の短編集としては、シャーロック・ホームズのシリーズがあります。ぜひお勧めしたいのは、ビアスの短編集やヘルマン・ヘッセの短編集です。

なお、本をきれいに読む必要はありません。書き込みをしましょう。ただし、「書き込みしてはいけない」と子供の頃に教えられていたことが身に染みついているため、なかなかできないものです。

興味が同じ友人と同じ本を読んで、討論しましょう。

# 4　150字の文章を書く（1）複文に対処する

## 複文は理解しにくい

本節で考えるのは、150字程度の文章の書き方です。1500字程度の文章の書き方については、本章の7で述べます。

「150字の文章」は、通常、50〜100字程度の長さの文章が数個集まって構成されています（本書では、主語・述語からなる一つの文章も、それらが数個まとまったものも、どちらも「文章」という言葉で表現しています）。個々の文章の長さが100字以上になると、読みにくいと感じます。これは以下に述べる複文の問題と関係しています。

文章には、単文、重文、複文があります。単文とは、主語と述語の組み合わせが一つしかないものです。重文とは、単文を接続詞によってつなげたものです。複文とは、単文が入れ子構造になっているものです。

例えば、つぎの通りです。

例文1　単文　小さな赤い花が咲いている。

例文2　重文　小さな赤い花が咲いていると聞いたが、私は見つけることができなかった。

例文3　複文　私は、小さな赤い花があたかも世の中の喧騒から身を隠すかのように壁の向こうにたくさん咲いていると聞いて探したのだが、見つけることができなかった。

右の例の複文では、「私は、」「小さな赤い花が」と主語が続くので、それらがどの述語に対応しているのかがすぐにはつかめず、意味が取りにくくなります。

これは、かなりの程度、日本語に固有の問題です。英語では、thatやwhichなどの言葉を使って、非常に長い複文でも、混乱を避けることができます。

日本語には、thatやwhichに対応した言葉がないため、**長い複文を書くと意味を取りにくくなります**。これは、日本語の宿命です。

## 曖昧の「が」には注意する

複文の読みにくさを回避するには、いくつかの方法があります。

第1は、複文とせず、重文とすることです。そのための一つの方法は、単文を「が」でつなげることです。

しかし、これには問題があります。「が」は、「しかし」の意味がある場合と、深い意味のない単なるつなぎの場合があるからです。

「が」は便利なので多用しがちですが、意味が不明確になるので、注意が必要です。1段落で2個程度までが限度でしょう。

そうするよりも、意味が反転する場合には、「……だ。しかし、～」として、2つの単文とするほうがよいでしょう。一般に、接続詞をうまく使うことによって複文を単文や重文とし、読みにくさを回避することができます。

## 対策：節をカギカッコで表示する

日本語に that と which に相当するものがないことを補うために、節（clause）をカギカッコで括（くく）ることが考えられます。例えば、つぎのように。

私は、「小さな赤い花が、あたかも世の中の喧騒から身を隠すかのように、壁の向こうにたくさん咲いている」と聞いて探したのだが、見つけることができなかった。

このような文章では、カギカッコ括りは奇妙な感じを与えます。しかし、もっと長い複雑な文章では有効です（本書でも、しばしばこの表現法を用いています）。

また、短い節であれば、漢字を用いて名詞化することも考えられます。

# 5 150字の文章を書く（2）修飾と主語述語関係

## 形容する言葉は形容される言葉のできるだけ近くに

つぎの文章は、幾通りの意味にも解釈できます。

例文4　私は、美しい華やかなドレスを着た女の子に会った。

この人が会ったのは、いったい誰だったのでしょう？

1「私は、女の子に会った。その子は、ドレスを着ていた。そのドレスは美しく、華やかなものだった」

と解釈する人が多いでしょう。

しかし、つぎの解釈も可能です。

2　「私は、美しい女の子に会った。その子は華やかなドレスを着ていた」
3　「私は、美しい華やかな女の子に会った。その子はドレスを着ていた」
4　「美しい華やかなドレスを着た女性がおり、私はその女性の娘に会った」

この他にも、幾通りかの解釈が可能です。

そして、例文4では、それらのどれが正しいのかを、判別することができません。

この例の場合には、誤って解釈してもとくに実害はないのですが、意味が違って問題になる場合もあります。

新聞記事のように何度もチェックされているはずの文章にも、こうした曖昧(あいまい)文章がしばしば現れます。

文学作品にもあります。もっとも有名な例は、『眠れる森の美女』（*La Belle au bois dormant*）でしょう。フランスの童話作家ペローの名作で、チャイコフスキイの音楽によるバレエもありますが、日本語訳の「眠れる森の美女」では、眠っているのが美女なのか、それとも森なのかが、はっきりしません。

右で述べた問題に対処するために必要なのは、「形容する言葉は形容される言葉のできるだけ近くに置く」というルールに従うことです。

例えば、右の2の意味であれば、「私は、華やかなドレスを着た美しい女の子に会った」と書くべきです。3なら、「私は、ドレスを着た美しい華やかな女の子に会った」。

では、4ならどうしたらよいでしょうか？

## ねじれ文や、主従不対応文を根絶する

（1）主語と述語が離れすぎると、それらの関係が分からなくなります。この問題は、複文でしばしば起こります。先に挙げた例文3が分かりにくいのは、「私」という主語と、「見つけることができなかった」という述語が離れすぎているからです。

（2）主語と述語が対応しない文章があります。

例えば、「何々の理由は、何々だからです」という文章をよく書いてしまうのですが、正しくは、「……の理由は、○○です」と書くべきです。

その例を以下に示しましょう。

例文5　この本が読みにくい原因は、著者が内容についてよく理解していないからである。

例文6　この本が読みにくい原因は、著者が内容についてよく理解していないことである。

例文5は誤りで、例文6が正しい文章です。

（3）主語や述語の行方不明文を避けます。

例文7　私はこの部分が本書の最重要箇所であると思うのだが、分かりにくい。もっと正確に書くべきだと思う。〈主語行方不明文〉

この文で「分かりにくい」の主語は、「私」ではなく、「この部分」ですが、明示されていません。また、「書くべきだと思う」の主語も明示されていません。

正確には、例文8のように書くべきです（ただし、日本語では、主語の省略は許されます）。

例文8　私はこの部分が本書の最重要箇所であると思うのだが、ここは分かりにくい。もっと正確に書くべきだと私は思う。

例文9のような文章もしばしば見受けられます。

例文9　私が問題としたいのは、この部分が本書の最重要箇所であるのだから、もっと正確に書くべきだと思う。〈述語行方不明文〉

この文章では、私が問題としたいのが何であるのかが示されていません。正しくは、つぎのように言うべきです。

例文10　私が問題としたいのは、この部分が本書の最重要箇所であるのだから、もっと正確に書かねばならぬということだ。

# 6　150字の文章を書く（3）日本語を大切にしよう

## 読点、指示代名詞、日付など

読点をどこでつけるか、どこで改行するかについて、明確な規則はありません。ウェブの文章は改行しすぎとも思えます。

「それ、これ」などの指示代名詞は、できるだけ避けるべきです。自分には自明であっても、読者には分からない場合があります。

また、同じ言葉が続かないように注意しましょう。「しかし」「しかし」が2つ以上続かないようにします。「しかし」「だが」「ところが」と書き分ければ、形式的には解決できますが、内容がつぎつぎに反転するのは問題です。

適切な言葉で書くためには、語彙を増やす必要があります。そのためには、多くの文章を読む必要があります。

もう一つの重要な注意。印刷物は、書籍でも雑誌でも、新聞でも、日付が分かります。しかし、ウェブの記事では、日付が分からないものがきわめて多いのです。いつ書かれた文章かによって、その意味合いは大きく変わります。日付がないという理由だけで、その文章がまったく無価値になってしまう場合がしばしばあります。

日付を入れるか否かが、執筆者の自由にはならない場合が多いのですが、ブログ記事などの場合には忘れずに日付を入れましょう。

## 外来語をどの程度使ってよいか

外来語を、日本の言葉ではないというだけの理由で排斥する必要はないと思います。もともと日本語は、抽象概念や学術用語には漢字を使っています。

それにしても、英語のカタカナ文字が多いのが気になります。しかもそれを間違って音訳しています。例えば、モーゲージ（抵当：正しくは「モーゲッジ」）、ストレージ（貯蔵庫：正しくは「ストーレッジ」）など。

もっとも、「君はradioをレディオと発音しているのか？」と言われると、答えに窮します。ガレージも、普通になってしまったので、あまり気になりません。外来語の音訳の誤りは、程度の問題かもしれません。

## 適切なタイトルをつける

1500字程度の文章にはタイトルをつけます。新聞記事であれば、見出しです。

タイトルのつけ方は大変重要ですが、同時に難しいことです。

最近のウェブ記事のタイトルは、あまりにお粗末です。「残念すぎる真相」「日本の政治は問題だらけ」「日本が衰退したワケ」「押さえるべき3つの真相」「日本人が気づいてない超深刻な問題」「日本人はこの問題の深刻さを分かっていない」等々。

あまりに陳腐です。そして、こけおどし。吐き気がします。雑誌やウェブ掲載記事などは、編集部にタイトルをつける権限があるので、私自身が書いた記事も、こうしたタイトルになります。

本章の2で、敬語を正しく使えなくなったことが日本衰退の原因ではないかと書きました。ウェブサイトに溢(あふ)れる陳腐なタイトルを見ても、同じことを感じます。創造力の衰えと言語感覚の麻痺(まひ)が、日本を衰退させているのでしょう。

これまで書かれた論文のタイトルで最高のものは、18世紀のイギリスの物理学者キャベンディッシュの論文タイトルです。重力定数gの測定値を発表する論文のタイトルを、「重力の測定」でもなく、「定数gの値」でもなく、「地球の重さを測る」としました。物理学を専門にしていない人でも、読みたくなります。

抽象的な概念に命名しておくと、いちいち説明しなくても済みます。それだけではありません。**人間は名前をつけることによって世界を理解している**のです。適切なネーミングは常に重要です。

学校でも、タイトルをつけたりネーミングをする訓練をしたらよいと思います。ゲームにしてもよいでしょう。

なお、適切なタイトルは、メールでも必要なことです。凝る必要はまったくありません。内容を表すタイトルをつけることが必要です。受け取ったメールと同じタイトルで返信すると（先に述べた失礼だという問題がありますが、それ以外に）、受け手側で区別がつかなくなり、混乱します。

## 国語を粗末にする国が栄えるはずはない

「さらなる」という言葉が「一層の」の意味で使われています。これは、１９７０年代に全学共闘会議のアジ演説の中に、突然変異的に出現した言葉です。この表現は誤りであると、私は20年以上にわたって訴え続けてきました（『「超」文章法』中公新書、２００２年、『書くことについて』角川新書、２０２０年）』等々）。

この訴えが、「隆車(りゅうしゃ)に向かう蟷螂(とうろう)の斧(おの)」より弱いものでしかなかったことは、認めざるをえません。この言葉は、いまや辞書にも載っていますし、大新聞の記事にも堂々と登場します。それどころではありません。私のインタビュー記事を文字起こししたものの中に、私の言葉として登場します。あるいは、私が書いた原稿に手が入れられて、この言葉が付け加えられます。

こうした場合、私のほうが平身低頭して、「なんとかこの言葉を削除してください」と頼まざるをえません。なんたることでしょう！

「間違った用法でも、人々が認めるようになれば、それに従うべきだ」「国語は固定的なものでなく、時代とともに変化する」という意見があるかもしれません。私も、国語が固定的でないことは認めます。しかし、どんな変化も許されるということではないと思います。

結局のところは、言葉に対する感覚の問題でしょう。「さらなる」という言葉の裏にある権威主義的な悪臭に、私は耐えられません。下品な喩えですが、「髭をたくわえた人が威張り散らしているのだが、ズボンがずり落ちている」様を想像します。こうした言葉がのさばる国、そして多くの人がそれに無感覚になっている国が繁栄することは決してないだろうと、悲しい気持ちになります。

# 7　1500字の文章を書く

## 1500字の文章を書く訓練

1500字の文章を書くとは、150字程度の文章を組み上げて、全体としての論理構造を作る作業です。

これは、論述文を書くときに必要となることです。手紙を書いたり日記を書いたりする場合には、この作業は必要ありません。思いついたままのことを書き並べていけばよいからです。

かつては、論述文を書くのは、ごく一部の人だけでした。しかし、インターネットが利用できるようになって、多くの人が、ブログなどを利用して論述文を書くことができるようになりました。

ただし、すでに述べたように、書くことについては、学校での教育は不十分です。自分の考えを論理的に伝えることの訓練は、個人で行なわざるをえません。

なお、書籍（10万字の文章）を書くことは、多くの人にとっては必要ないかもしれません。読む訓練ができていればよいでしょう。

## 思いついたままを書けばいいのか？

小学校や中学校の作文では、「思いついたまま、感じたままを書きましょう」と指導されることが多いと思います。それによって、自由な発想が促進され、創造能力が養われるというのです。

しかし、本当にそうでしょうか？

思いついたままを書いても、普通は、まとまった考えを伝えることにはなりません。日記なら、これでよいでしょう。朝起きてからやったことをつぎつぎに書き並べていけばよいからです。しかし、まとまった考えを残しておきたい場合には、「思いついたまま」では、他の人に伝える価値のあるまとまった文章にはならないでしょう。

## 論述の順序は

アイディアや思考は多次元です。ところが、文章は一次元です。したがって、多次元の内容を、一次元で表現しなければなりません。これが、1500字の文章を書くのが難しい最大の理由です。

最低限必要なのは、矛盾した内容を排除すること、余計な記述を取り去ること、そして重複を避けることです。離れた箇所なら、簡単に繰り返す必要がある場合もありますが、最小限に留めるべきです。

そして論述の順序を正しくする作業が必要です。

「文章の順序は『起承転結』で」と言われることが多いのですが、これは、文学の場合です。論述文では、「転」は避けるべきです。「序、論旨展開、結論」とならなければなりません。ただし、結論を先に出すスタイルもありえます。結論を早く示さないと、読者が離れてしまう場合があるからです。

このほか、順序の問題として、つぎのようなことがあります。

**・一般論と具体例のどちらが先か？**
**・具体と抽象のどちらが先か？**

これらの問題について、一義的な答えはありません。個々の場合に判断する必要があります。

なお、1500字の文章を書くときに重要なのは、以上の他に、論理を正しくすることです。これについては、第5章で述べます。

# 第4章のまとめ

**1**
日本語を読んだり書いたりすることは、とくに勉強しなくてもできるように思ってしまいます。しかし、国語はすべての勉強の基礎となることです。

**2**
文章には、書き手の知的水準がはっきり表れます。文書によるコミュニケーションが増えてきたため、毎日のように能力を評価されることになります。

**3**
文章には3種類のものしかありません。１５０字、１５００字、そして10万字の文章です。

**4**
１５０字の文章を書く場合に注意すべきこと（１）：複文を避ける。

**5**
１５０字の文章を書く場合に注意すべきこと（２）：修飾語を被修飾語の近くに

置く。主語と述語の対応を正しくする。

**6** 150字の文章を書く場合に注意すべきこと（3）：言葉やタイトルに正しい日本語を使う。

**7** 1500字の文章を書く場合、多次元の内容を一次元で表現しなければなりません。このため、論述の順序を工夫する必要があります。

第5章

# 論理は重要だが、比喩も重要

# 1

# 必要条件と十分条件を、はっきりと区別せよ

## 正しい論理は、あらゆる勉強の基礎

１５００字や10万字の文章を書くときに重要なのは、**論理の構成を正しくすることです**。とくに、**必要条件と十分条件の区別を明確にする**必要があります。

論理の問題は、高校1年の数学Ⅰの集合論で教えることになっています。集合論といわれると、いかにも難しいことのような印象を受け、構えてしまう人が多いでしょう。事実、集合論は難しい数学です。しかし、これから述べるのは、そんなに難しい話ではありません。小学生でも理解できることです。

これは、国語とか数学とかいう問題ではなく、あらゆる勉強の基礎になることです。集合論などといわず、論理が正しい文章を書くことを、もっと早い段階で、国語の勉強として行なうべきだと思います。

なお、論理が厳密でなくても、日常生活はできると思う人が多いでしょう。しかしこれから述べることは、日常生活でも大変必要なことです。

## しばしば陥る論理の誤り

例えば、「語彙を増やすためには、たくさんの本を読まなければならない」と言ったとします。

これに対して、「たくさんの本を読んだが、語彙が増えない」と反論する人が出てきます。しかし、これは、論理的に間違った反論です。

時には、私自身がそうした間違いをしてしまうことがあります。つまり、たくさんの読書をしさえすれば、必ず語彙が増えるかのように考えてしまうことがあるのです。

この類の誤りは、しばしば生じます。例えば、「賃金を上げるためには技術革新を進める必要がある」と言うと、「では、技術革新を進めれば賃金が上がるのか」という反論が来る場合があります。この議論も誤りなのです。

この場合にも、私自身がそういう誤りに陥(おちい)ってしまうことがあります。つまり、技術革新をすれば、必ず賃金が上がるかのような気がしてしまうのです。こうした誤りに陥らないために、論理関係を正確に理解することが必要です。

## 図で理解するのがよい

右に述べたことは、言葉で表現するよりは、図に描くことによって、より簡単に、かつ正確に、表現し理解することができます。

いま、「語彙が多い人は大量の読書をした人だ」という命題が正しいとしましょう。この場合には、語彙が多い人と大量の読書をした人の関係は、図5－1のようになります。小さな円は語彙が多い人を、大きな円は大量の読書をした人を表します。小さな円に含まれている人は、必ず大きな円に含まれています。

だから、小さな円に入るためには、必ず大きな円に入っていなければいけない。つまり、大きな円に入っていることが「必要だ」ということになります。

小さな円に入っていれば、必ず大きな円に入っている。だから小さな円は、大きな円に入るために「十分だ」ということになります。

こうした関係は、つぎの場合にも成り立ちます。「人間であれば、必ず動物である」。この場合には、小さな円が人間、大きな円が動物として表されます。動物であることは、人間であるための必要条件です。そして、人間であることは、動物であることの十分条件です。

この場合には、「では、動物ならば人間なのか」と言う人はいないと思います。しかし、最初の例の場合には、「では、読書をすれば語彙が増えるのか」と言う人が出てくるのです。

図 5-1　**必要条件と十分条件**

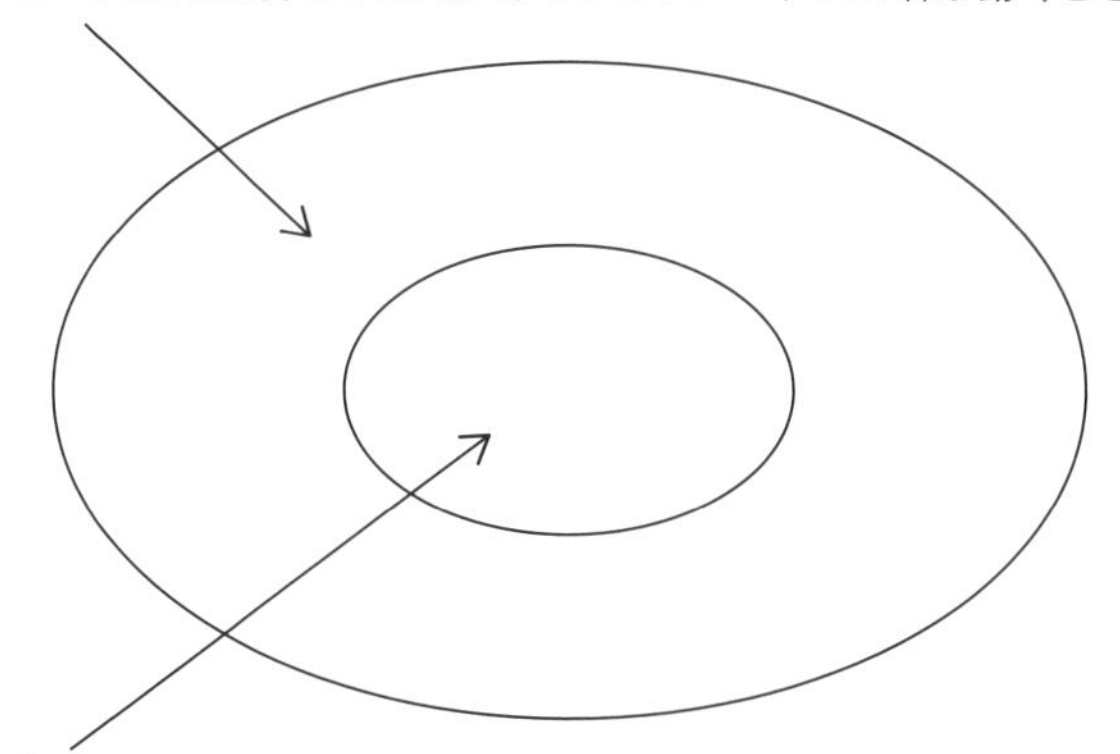


動物や人間は具体的なものであるため、間違える人がいません。しかし、語彙が多いとか読書をしたというのは抽象的な概念なので、分からなくなるのだと思います。

こうしたことを表現するために、文章は必ずしも適切な手段ではありません。それよりは、図5－1のような図を書くほうがよいのです。あるいは、数式のほうがよい場合もあります。少なくとも、図や数式を、文章の説明の補助手段として用いるべきです。

## 必要条件と十分条件

以上で述べたことを、「必要条件」と「十分条件」という概念で表すことにします。

いま、つぎの命題が正しいとしましょう。

命題1　ある人が語彙が多い人であれば、その人は大量の読書をした人である。

このとき、「大量の読書をした人である」は、「語彙が多い人である」の必要条件であるといいます。そして、「語彙が多い人である」は、「大量の読書をした人である」の十分条件であるといいます。この場合、「必要」とか「十分」は、日常用語の意味と少し離れています。日常用語と関連づけようとせず、「このように定義するのだ」と考えてください。

「語彙が多い人である」をAで、「大量の読書をした人である」をBで表し、矢印を用いた式で示すと、

A → B

となります。このときに、BはAの必要条件、AはBの十分条件なのです。

図で示すと、図5-1のように、AはBの部分集合になっています（AはBの中に含まれています）。正確に言うと、「語彙が多い人」は、「大量の読書をした人」の真部分集合になっています（「AがBの真部分集合」とは、AはBの一部分であり、かつ一致しないことを指します）。

## 逆命題、対偶命題、裏命題を図で理解する

つぎの命題を、命題1の「逆命題」といいます。

命題2　ある人が大量の読書をした人であれば、その人は語彙が多い人である。

図5－1から分かるように、命題1が真であるとき、命題2は必ずしも正しくありません。つまり、「逆は必ずしも真ならず」なのです。

命題1を主張したとき、「では、大量の読書をすれば必ず語彙が増えるのか」と反論する人がいますが、この反論は、論理的に誤っています。命題1は、そのような主張はしていないのです。

つぎの命題を、命題1の「対偶命題」といいます。

命題3　ある人が大量の読書をしていない人であれば、その人は語彙が少ない。

図5－1から分かるように、命題1が真であるとき、命題3は必ず真です。つまり、「対偶命題は必ず真です。

つぎの命題を、命題1の「裏命題」といいます。

命題4　ある人が語彙の少ない人であれば、その人は大量の読書をしていない人である。

図5－1から分かるように、命題1が真であるとき、命題4は、必ずしも真ではありません。

命題Aの否定をNAで、命題Bの否定をNBで表し、以上で述べたことを矢印を使った式で表せば、つぎのようになります。文章を書いている場合、この関係を常に意識していることが必要です。

| | | |
|---|---|---|
| 命題1 | A→B | 真であるとする |
| 命題2（命題1の逆命題） | B→A | 必ずしも真でない |
| 命題3（命題1の対偶命題） | NB→NA | 必ず真 |
| 命題4（命題1の裏命題） | NA→NB | 必ずしも真でない |

いま、A→BとB→Aの2つの命題がいずれも真であるとします。この場合、「Bは、Aの必要十分条件である」といいます。AとBは同じことなのです。

## バーナムの森が動くまで、マクベスは滅ぼされない

シェイクスピアの戯曲『マクベス』に登場する3人の魔女たちは、論理学を愚弄しているように見えます。最初に登場したときに、「正しいのは間違い。間違いは正しい」(Fair is foul, and foul is fair)と言っているくらいですから。

しかし、彼女たちは、実はきわめて正確に、かつ巧妙に、論理を操っています。

魔女がマクベスに対して行なった予言の一つは、「バーナムの森が動くまで、マクベスは滅ぼされない」(Macbeth shall never vanquished be, until/Great Birnam Wood to high Dunsinane Hill/Shall come against him)というものです。

「バーナムの森が動くこと」をBで、「マクベスが滅ぼされる」ことをAで表現すると、「NBならNAである」と言ったわけです(図5-1で、A、Bをそのように解釈して見てください)。

先に述べたように、ある命題が真であれば、その対偶命題は真です。したがって、魔女たちは、「AならBである」(マクベスが滅ぼされるのは、バーナムの森が動いたときである)と言ったことになります。

ところで、「バーナムの森が動くことなどありえない」とマクベスは考えました。だから、「滅ぼされることはありえない」と考えたのです。つまり、魔女たちは、「マクベスは安泰」と

いう保障を与えてくれたと解釈したのです。しかし、バーナムの森は動いてしまったのです(実際には、軍勢が木の枝を身につけて行軍しただけだったのですが)。

もっとも、魔女たちの予言から、その裏命題である「BならAである」(バーナムの森が動けば、マクベスは滅ぼされる)は導けません。だから、バーナムの森が動いたとしても、必ずマクベスが滅ぼされるわけではありません。「マクベスは安泰」との保障がなくなっただけのことです。

魔女たちの第2の予言は、「女から生まれた者は、マクベスを殺せない」(none of woman born/Shall harm Macbeth)でした。すべての人間は「女から生まれた者」と考えていたマクベスは、「マクベスを殺せる者はいない」と解釈して、マクダフとの決闘に臨みます。

ところが、マクダフは、帝王切開によって取り出された者であり、「女から生まれた者」ではなかったのです。第2の予言も、マクベスの安全を保障してくれるものではありませんでした(マクベスの時代にすでに帝王切開が行なわれていたとは驚きですが、この時代の帝王切開とは、分娩時に妊婦が死亡した場合に、埋葬する前に腹部を切開して胎児を取り出すことでした。これは、古代ローマ時代から行なわれていたことです)。

以上を文章で読むだけだと、かなり頭が混乱するでしょう。『マクベス』を正しく鑑賞するには、図5－1のような道具立てが不可欠です。

以下は余談ですが、「帝王切開だから、『女から生まれた者』でない」というマクダフの論理は、こじつけだと感じる読者が多いのではないでしょうか？　「『マクベス』はシェイクスピアの最高傑作の一つだが、そのクライマックスがこじつけなのは残念」と思います。

同じ思いを持つ人は多いでしょう。そう感じる人に、J・R・R・トールキンの『指輪物語』をお勧めします。全編のクライマックスは、ペレンノール野の会戦で、人間の王国ローハンの姫君エオウィンが、冥王サウロンの手下ナズグルの首領と対決する場面。エオウィンが首領の前に立ちはだかって、「立ち去れ、汚らわしい化けものめ」と叫ぶと、首領は「おれの邪魔をするだと？　愚か者め。生き身の人間の男には、おれの邪魔立てはできぬわ！」とあざ笑います。

これに対してエオウィンは、「しかし、わたしは生身の人間の男ではない。お前が向き合っているのは女だ」と宣言して首領を倒すのです。

トールキンは、この場面でシェイクスピアを超えたと、私は思います。

## 2

# アンナ・カレーニナの法則と悪魔の論証

### アンナ・カレーニナの法則とは

トルストイの小説『アンナ・カレーニナ』の冒頭に、つぎの有名な言葉があります。

「幸せな家庭は皆同じだが、不幸な家庭はさまざまに不幸だ」

これはアンナの未来を予言しています。美貌の持ち主で、夫は政府高官、良き息子を持ち、すべてに恵まれているように思われたアンナが、実は大変不幸な人生を歩むことになる。だから、重要な文章です。

これを、必要条件と十分条件という概念で解釈すると、つぎのようになります（図5－2参照）。

図 5-2　**アンナ・カレーニナの法則**

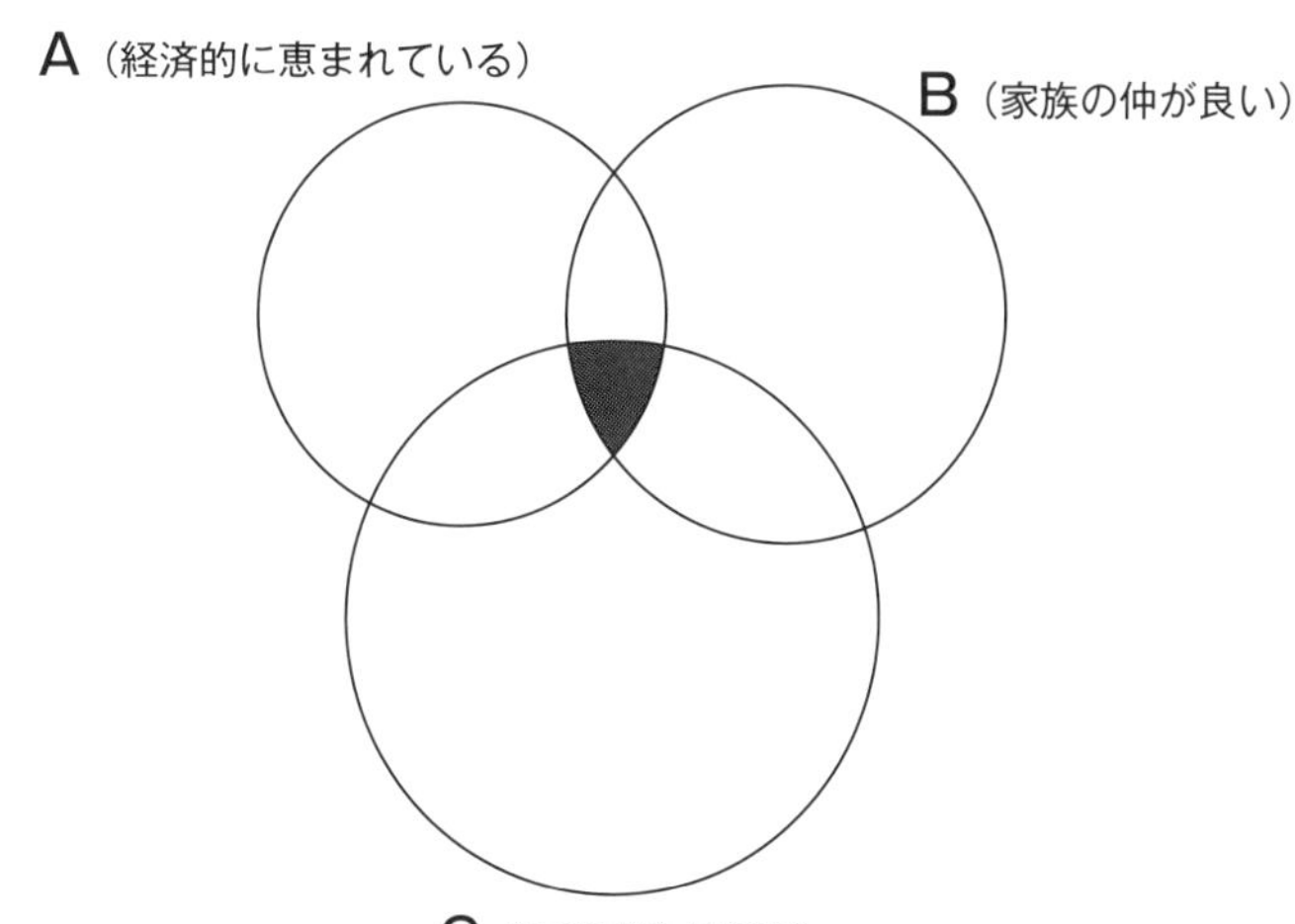


家庭が幸せになるための必要条件は、いくつもあります。経済的に恵まれていること、家族の仲が良いこと、家族が全員健康であること、家族等々です。幸せな家庭となるためには、これらのすべてを満たす必要があります（もちろん、金持ちでなくとも、幸せな家庭はあるので、本当にこれらのすべてが必要条件かどうかは分かりません。ただし、ここでは、議論を簡単にするために、それを認めるとします）。

これが図5－2では、A、B、Cの交わり（共通集合）として表されています。いくつもの条件を満たした家庭は、さまざまな点で同じなのですから、似たものになってしまうのです。

それに対して、右の必要条件の一つでも満たされないと、その家庭は不幸になります。例えば、家族の仲が良く、経済的に恵まれていても、家族の誰かが病気になると、幸せな家庭とはいえません。あるいは、経済的に恵まれていて全員健康でも、家族のメンバーで仲違いがあると、不幸な家庭になります。

右の2つの家庭は、だいぶ違う様相を呈していますが、不幸な家庭という点では同じです。つまり、不幸な家庭には、さまざまなものがあるのです。

以上のことは、つぎのように表現することもできるでしょう。

不幸になるための十分条件は、たくさんあります。家族の誰かが病気であること、家族の仲が悪いこと。経済的に恵まれていないこと、等々です。

これらの条件の一つでも該当すれば、不幸になってしまいます。不幸な家庭は、さまざまな理由で不幸になるのです。ですから、どの条件に該当したかによって、不幸な家庭には、さまざまな類型があります。

## ダイアモンドの「家畜の法則」

ジャレド・ダイアモンドは、著書『銃・病原菌・鉄』（草思社、2000年）の中で、つぎのように言っています。

「家畜化できている動物はどれも似たものだが、家畜化できていない動物はいずれもそれぞれに家畜化できないものである」

確かにその通りで、家畜化できた動物は、サイズが人間とあまり違わない、性質が穏やか、早く育つ、草食動物などの性質を持っています（象は巨大ですが、ダイアモンドによると、使役用などに使われている象は、人間に飼いならされた野生の象であって、人間に飼育されながら繁殖した家畜ではありません）。

これも、「アンナ・カレーニナの法則」と同じ論理で導かれる法則です（なお、「アンナ・カレーニナの法則」という言葉は、ダイアモンドの造語です）。

## 「失敗は簡単だが、成功は難しい」と言えるか？

事業に失敗するのは簡単。数ある条件の一つでも満たさなければ、失敗する。それに対して、事業に成功するのは、多数の条件をすべて満たす必要があるので、難しい。

このように言えるでしょうか？

これは一見したところ、アンナ・カレーニナの法則と同じようなことを言っているようにみえるのですが、違います。

ここでは、確率を問題としているのです。だから、必ずしも正しくはありません。

家族の幸福や家畜の場合も、幸福になったり、家畜にできたりする確率がどうなるかは、各々の条件を満たせる確率によります。だから、幸福な家庭のほうが多い国はあるでしょう。また家畜化された動物のほうが多いという場合もありうるでしょう。

実はこの点について、私自身が間違った文章を書いてしまったことがあります。「企業が失敗するのは簡単だが、成功するのは難しい」と書いてしまったのです。

しかし、こうなるかどうかは、論理学だけでは分かりません。データを見ないと分からないことです。実際、仮に各要素の成功確率が高ければ、複数の要素が絡んでいる場合にも、成功の確率のほうが高くなります。

例えば、成功のための条件は2つあり、各条件を満たす確率が、それぞれ1／4であるとします（さらに、これら2つの条件は、独立であるとします）。この場合には、成功する確率はその2乗で、1／16になります。そして、失敗する確率は15／16です。

しかし、各条件を満たす確率が3／4であれば、成功確率が9／16で、失敗確率が7／16になります。つまり、成功する確率のほうが高くなります。

改めて見直してみると、トルストイは、「幸福な家庭は似ている」と言っているだけで、「数が少ない」とは言っていません。トルストイの数学的判断は正確です。

## ダイアモンドは「不幸な家庭は多いが、幸福な家庭は少ない」と言うが……

前項で述べた論点に関して、先に紹介したダイアモンドの論考は、トルストイよりさらに踏み込んだ議論を展開しています。つまり、彼は、家畜化された動物がきわめて少ないことを強調しているのです。家畜の候補となりうる陸生の大型草食動物148種のうち、実際に家畜化できたのは14種しかありません。ダイアモンドは、さまざまな場合について、家畜化がきわめて難しかった理由を詳細に説明しています。

この論考は大変興味深いものです。ただし、ダイアモンドは議論の最後で若干前のめりになってしまったかと思われます。

彼はつぎのように言っています。「トルストイは、『招かれる人は多いが、選ばれる人は少ない』という福音書の言葉（マタイ伝、22章、14節）を受けいれるだろう」。つまり、「不幸な家庭は多いが、幸福な家庭は少ない」と言うのです。

しかし、家畜化できなかったのは、家畜化に必要とされる条件を満たす確率が小さかったからです。ところが、家庭について、幸福になるための各条件を満たす確率は、前項で述べたように、小さいとは限りません。しかも、努力によってその確率を引き上げることもできます。例えば、健康に気をつけることによって、病気になる確率を下げることなど。

ダイアモンドは、やや性急すぎたのではないでしょうか？

## 悪魔の論証

「ある条件を満たすものが存在しない」と証明するのは難しいことです。「悪魔の論証」といわれますが、その通りです。それに対して、「ある条件を満たすものが存在する」と証明するのは、簡単な場合があります。

例を挙げましょう。上場企業の有価証券報告書には、その企業の平均給与が記載してあります。いくつかの有価証券報告書を調べて、平均給与が2000万円を超える企業を見つけたら、「日本には平均給与が2000万円を超える企業がある」と言うことができます。

しかし、いくつかの企業を調べて2000万円を超える企業がなかったとしても、「日本の企業で平均給与が2000万円を超える企業はない」と言うことはできません。

仮に上場企業の有価証券報告書をすべて調べたとしても、非上場企業で平均給与が2000万円を超える企業があるかもしれません。

一般に、「ある条件を満たすものが存在する」と証明するのは比較的容易なのですが、「ある条件を満たすものが存在しない」と証明するのは大変なことです。

「火星に知的生命が存在しない」と証明するのは難しいことです。ましてや、「宇宙に人類以外の知的生命が存在しない」と証明することは不可能でしょう。

ただし、そうだからといって、宇宙に地球外知的生命が存在すると言うことはできません。

## ビジネスで成功する条件を示すのは難しい

先日、ある会合で、「ブロックチェーンを用いてどんな事業をやれば成功するだろうか？」と聞かれました。また、「人工知能の時代に成功するのはどんな人材か？」とも聞かれました。

これらの質問に答えるのは、難しいことです。なぜなら、アンナ・カレーニナの法則に関して述べたように、成功するには、多数の条件を満たさねばならないからです。それらすべてを列挙するのは、きわめて難しいことです。

それに対して、失敗の条件が一つでも成立すれば、失敗してしまいます。だから、失敗の例を示すのは簡単です。つまり、「(ビジネスについて) 失敗事例を示すことは簡単だが、成功の法則を示すことは難しい」と言えます。

もう少し正確に言うと、「失敗の十分条件は簡単に示せる。しかし、成功の十分条件を示すのはきわめて難しい。多くの場合、成功について示せるのは、必要条件だけだ」ということになります。

これを「アンナ・カレーニナの第2法則」と呼ぶことができるでしょう。この系として、つぎの命題が導けます。「ビジネスや国家経営について、『こうすると失敗する』は言えるが、『こうすれば成功する』は、ほとんどの場合、マユツバだ」。

例えば、「日本軍はなぜ失敗したか?」「ソ連はなぜ崩壊したか?」等についての本を書くことはできます。しかし、それらの本をいくら熟読して勉強したところで、同じ失敗を回避することはできるでしょうが、成功できるとは限りません。失敗の研究書を読めば成功できるように思うのは、錯覚に過ぎません。

## 勉強はビジネスと違う

ただし、ここで注意していただきたいことが3点あります。

第1に、勉強はビジネスとは違うということです。本書では、これまで「なぜ、成績が上がらないのか?」「どうすれば成績が上がるのか?」について述べてきました。前者は勉強で失敗する十分条件です。そして、後者は、成功のための十分条件です。

勉強の場合に成功の十分条件を示すことができるのは、これまで述べてきたように、「重要な点が明らかで、固定的」など、いくつかの特殊事情があるからです。

第2に、ビジネスについて、私は、「だから、新しい事業に挑戦しなくてよい」と言っているのではありません。なぜなら、挑戦なくして成功はないからです。さまざまな事業を試み、それをマーケットが評価する。そのプロセスをくぐり抜けて生き残ったものが成功企業です。それによって、社会が進歩するのです。

第3に、ビジネスの場合にも、個々の条件についての成功確率は、所与のものではなく、努力によって引き上げることができます。同じことが、もちろん勉強についてもいえます。努力によって成功の確率を引き上げることは、十分可能です。これが最も重要なことです。

## 3

# イエスの説教では、論理が飛躍する

### 比喩は強力な説得力を持つ

説得のための手段として、しばしば比喩が用いられます。例えば、経済学で金融政策の有効性を説明するのに、つぎのようにいわれます。

「金融政策とは、紐（ひも）のようなものであって、棒ではない。だから、経済が加熱したときに引っ張って引き締めることはできるが、経済が停滞しているときに、それを押して景気を良くすることはできない」

これを聞くと、多くの人は「なるほど」と納得します。「金融政策は紐なのだから、景気を押すことができないのは当然だ」と理解します。

しかし、よく考えてみると、これはトリックです。ここで本来必要なのは、「なぜ金融政策は紐のようなものなのか？」の論証です。つまり、「金融政策が、なぜ引き締めには有効だが、景気刺激には無効なのか？」の論証です。本来であれば、このことを経済メカニズムとの関係で立証する必要があります。

しかし、右の説明は、そうしたのではありません。金融政策が景気刺激に無効と証明し、その証明の後に「だから、金融政策は紐のようなものだ」と結論づけたわけではないのです。いきなり、「紐のようなものだ」としており、その証明はしていません。

何の説明もなしに、金融政策を紐にすり替えています。言い方は悪いですが、これは「すり替え詐欺」と同じものです。

つまり、**一番重要なポイントを、比喩という手段を用いることによって飛び越えてしまった**のです。したがって、論理的に言えば、この説明を認めることはできません。

しかし、このように説明されると、多くの人は納得するでしょう。それは、紐とか棒という誰もが知っている具体的なものに関連づけたからです。

比喩は説得の手段として強力なので、しばしば用いられます。しかし、読み手、聞き手としては、十分に注意する必要があります。

なお、誤解のないように付け加えますが、金融政策が景気刺激には無効という結論自体は正しいと、私は考えています。

## 縦糸横糸論法：大蔵省流万能スピーチ法

私は、大蔵省という役所（現、財務省）に入ったときに、「縦糸横糸論」というものを先輩に教えてもらいました。それは、「世の中のすべてのことは、縦糸と横糸に喩えて説明できる」というものです。例えば、つぎのように。

「税務行政は、縦糸と横糸のようなものです。正しい税制という縦糸だけでなく、納税者の方々の協力という横糸が必要です。これらの2つが密接に支え合うことによって、正しい税務執行ができるのです」

納税者の集まりでこれを聞いた人は、税務執行における納税者の役割を自覚するでしょう。そして、「ああ、いい話を聞いた」と満足するに違いありません。

縦糸横糸論法が有効なのは、税務行政だけではありません。どんなことにも当てはめることができます。「会合で突然スピーチを求められたときは、縦糸横糸を持ち出せばよい」と、この先輩は言いました。

確かにその通りです。顧客を集めた会合でも、地域の集会でも、学校の保護者会でも、同窓会でも、考えられるどんな集まりでも、スピーチはこれで切り抜けられます。

しかし、これは前項で述べた金融政策の有効性と同じ論法です。なぜ税制が縦糸で納税者が横糸なのかは、説明されていません。それを認めれば、税制だけでなく納税者の協力が必要だということになるでしょうが、その最も重要なポイントが、証明されているのではなく、比喩によって置き換えられている（すり替えられている）だけなのです。

したがって、これも「すり替え詐欺」の一種だと言わざるをえません。

## 苦手な学科の勉強法

もう一つ例を挙げましょう。先日、「苦手な学科の勉強法」という記事を見つけました。これは、勉強を食事に喩えたものです。

食べ物には、栄養はあるが嫌いだ、というものが誰しもあるでしょう。それを食べるコツは、小さく刻んで、他の食べ物に混ぜることだそうです。そうすると、知らないうちに嫌いなものを食べられる。

そこで、勉強の場合にも、苦手な科目は他の勉強の合間に少しずつやるようにしたらよいというのです。「そうすれば、あまり苦労せずに勉強することができる」と、この記事はアドバイスしています。

しかし、人間は、食べ物に対して反応するのと同じように、勉強に対して反応するのでしょうか？　「食べ物の場合はこの方法が有効だが、勉強ではそうはいかない」ということはないでしょうか？　重要なのは、この点を実験等の手段によって示すことです。

もし、人間が勉強するプロセスと食べるプロセスとでメカニズムがまったく別なのであれば、右のアドバイスは効果がありません。

ところがこのアドバイスは、最も重要な点の証明をスキップしているのです。比喩によって、勉強を食べ物にすり替えているだけです。

## 「種蒔く人」の喩え：信仰は麦なのか、大麻なのか？

イエス・キリストは、以上で述べたのと同じような論理構造の説教を、いくつも行なっています。『新約聖書』は比喩のオンパレードです。

それらの中で最も有名なものは、「種蒔く人」の喩えでしょう（マタイ伝福音書、第13章、3～23）。これをもとに、ゴッホやミレーが「種蒔く人」を描いています（どちらも素晴らしい作品です）。

ここでイエスは、信仰を育てるのが重要であることを、麦の種を蒔くことに喩えています。路の傍ら（かたわ）に落ちた種は鳥が食べてしまうし、石の地に落ちた種は枯れてしまう。こうならないようにせよ、というのです。これを聞いた弟子たちは、麦の種が鳥に食べられたり途中で枯れたりする様を想像し、「信仰心が薄いために途中で挫折することは避けなければならない」と心を固めます。

しかし、よくよく考えてみると、仮に信仰が雑草のようなものであるなら、あるいは大麻のようなものなら、枯れてしまうのは、むしろ望ましいことです。

「信仰は麦のように有用なものである」からこそ、「信仰を育てるのが重要だ」という結論が出てくるのです。ところがイエスは、信仰が麦のように有用なものであり、大麻のように有害なものではないことの説明をしていません。

最も重要な点の証明をしていないという意味で、これは、「紐論法」や「縦糸横糸論法」と同列のものです。

それにもかかわらず、イエスの説教の、なんと強力なことでしょう。

## 野の花の咲く様を見よ

イエスの説教の中で私が最も好きなのは、つぎのものです。「愛してやまない」説教です。

百合を思ひ見よ、紡（つむ）がず、織らざるなり。
されど我なんじらに告ぐ、

栄華を極めたるソロモンだに、
その服装この花一つにもしかざりき。
今日ありて、明日爐に投げ入れらるる野の花をも、
神はかく装ひたまへば、
まして汝らをや、ああ信仰うすき者よ。

これは、ルカ伝第12章からの引用ですが、マタイ伝にも同様の記述があります。

まず素晴らしいのは、舞台装置です。晴れた日の、のどかな春の野が目に浮かびます。ここはなだらかな斜面の野原。弟子たちが車座になって座り、イエスの説教に耳を傾けています。

私も、その一員として加わっている気持ちになります。

イエスは、「明日爐に投げ入れらるる」と言います。今日だけの命しかないのだと改めて思い知らされ、花の美しさが痛いほど伝わってきます。

そして、「ああ信仰うすき者よ」と叱責されて、自分は確かに、貧しさを嘆き、この世は不公平だと怒っていたことを思い出して、恥入ります。

弟子たちは、この説教を聞き、「われわれはソロモンよりも恵まれているのだ」と心の底から感じ、幸せな気持ちに包まれたことでしょう。聖書を読んでいるわれわれも、同じように幸

せな気持ちになります。

## 論理を超越したイエスの説得力

ところで、イエスの言っていることを論理的に分析すれば、つぎのようになります。

イエスはまず、「ソロモンの衣装より、野の花のほうが美しい（優れている）」と言いました。

そして、次に、「野の花よりも、弟子のほうが優れている」と言いました。

この2つの命題は、正しいとして受け入れましょう。ところが、それらから論理学の推移律によって結論できるのは、「弟子たちは、ソロモンの衣装より優れている（あるいは、恵まれている）」という命題です。

しかし、言うまでもないことですが、弟子たちは（あるいは、聖書を読んでいるわれわれは）、これによって幸せな気持ちになったのではありません。弟子たちは、「自分たちはソロモンより恵まれているのだ」と感じたからこそ、幸せな気持ちになったのです。聖書を読んでいるわれわれも同様です。

論理的には導けない結論によって幸せになっているのですから、われわれは、イエスに「だまされている」ことになります。

これをもう少し詳しく説明しましょう。最初に、人間も含めて、さまざまなものの価値が数字で表されるとしましょう。そして、つぎの不等式が成り立つとします。

弟子の価値－花の価値∨ソロモンの価値－衣装の価値

これを移項すれば、つぎの関係が得られます。

弟子の価値－ソロモンの価値∨花の価値－衣装の価値

イエスが説教の中で示唆しているのは、最初の不等式が正しいということです。そうであれば、つぎの不等式も正しいということになります。つまり、弟子たちはソロモンより価値が高いのです。

しかし、これは、最初の不等式が成立するからこそ導かれる結論です。ところが、最初の不等式が成立するかどうかは大いに疑問です。イエスは、その証明を行なったわけではないのです。

イエスが狙ったのは、弟子たちが最初の不等式を証明なしに受け入れることであり、この説教は、見事にその目的を達成しています。

しかし、最も重要な箇所の証明がないのですから、これは途中で論理が飛躍してしまった結果生じる、単なる錯覚に過ぎません。

こんなことは、少し考えれば誰にでも分かることです。しかし、イエスのこの説教が論理的におかしいと問題にされたことはありません。２０００年以上の年月にわたって、多くの人々を感動させてきたのです。

ここでは、論理を超える強い力が働いているとしか、考えようがありません。宣教活動をしたり文章を書いたりすることには、論理だけでは割り切れない微妙な問題が含まれていることを認めざるをえません。

## 第5章のまとめ

1　論理を正しくする必要があります。とくに、必要条件と十分条件の違いを正しく理解することが重要です。

2　必要条件がいくつもある場合、それらすべてを満たすのは、似たものになります（アンナ・カレーニナの法則）。「存在しないこと」の証明は困難です。ビジネスで成功する十分条件を示すことも困難です。「失敗の研究」をいくら読んでも、成功することはできません。

3　比喩を使うと、論理的に認められない内容でも、相手を説得することができます。聖書には比喩がたくさん登場しますが、その内容は、論理的には受け入れられないものが多数あります。それにもかかわらず聖書が強い説得力を持つことに、注目すべきです。

第6章

# AI時代に必要なスキルは何か?

# 1 AI時代には勉強する必要はなくなるか?

## AIが何でも教えてくれる

ＡＩ（人工知能）の力で、検索がますます容易になり、かつ強力になっています。スマートフォンに向かって質問するだけで、答えを出してくれます。また、セマンティック検索が可能になりつつあります。これは、ユーザーの質問が曖昧（あいまい）であっても、検索意図を検索エンジンが推測し、ユーザーが求めている検索結果を提供する技術です。

最近では図形認識の精度が上がってきたため、スマートフォンで撮った画像があれば、それで検索することもできるようになりました。これによって、例えば、花の名を知ることができます。

こうした技術は、今後もますます進歩するでしょう。そして、ますます詳細な情報を、ますます大量に提供してくれるでしょう。

これは、有能な物識りをいつも連れて歩いているようなものです。これによって、われわれの世界認識は大いに広がるでしょう。

## 「良い質問」が決定的に重要になる

ＡＩに聞けば何でも教えてくれるのであれば、人間が勉強して知識を得る必要はなくなるようにも思えます。では、「人間は知識を持っていなくてよい」「知識を得るために勉強する必要はない」ということになるのでしょうか?

決してそうではありません。

その第1の理由は、**「何を質問するか?」こそが重要**だからです。つまらない質問しかできなければ、つまらない答えしか返ってきません(これを、「愚問愚答」といいます)。ＡＩは、質問に対して答えるだけで、「どんな質問をしたらよいのか?」は教えてくれません。

第1章の3で、アメリカの教室で適切な質問をすると、教授から「良い質問だ」という答えが返ってくると言いました。「良い質問」をするのは、質問者が高い能力を持っている証拠なのです。そして、その能力は、勉強によって得られたものです。

勉強しない人は、能力を高めることができず、したがって、いかに高度なＡＩに対しても、つまらない質問しかできません。「宝の持ち腐れ」とはこのことです。「猫に小判」といってもよいでしょう。「豚に真珠」ともいえます。

ＡＩ時代においては、「良い質問」が決定的に重要になるのです。

## 知識が増えれば創造が容易になる

ＡＩ時代において勉強が必要な第2の理由は、**知識の蓄積が創造にとって不可欠**であることです。人間が新しいアイディアを発想するためには、頭の中に蓄積してある内部情報との照合が必要です。内部情報をたくさん持っている人ほど、たくさんの発想ができます。そして、内部情報を蓄積するには勉強が必要です。

ＡＩによって知識を得るのが容易になれば、知識を獲得して新しいものを創造するのが容易になるのです。人々が多くの知識を獲得し蓄積することによって、創造が進むことが期待されます。

# 2

# AIを使って外国語を勉強する

## 自動翻訳が向上しても、外国語の勉強は必要

外国語の自動翻訳の能力が、AIの活用によって向上しました。これによって、外国語の文献を読むのが容易になりました。また、外国人と会話をすることも可能です。現在のところ、その能力はまだ満足すべきものではありませんが、今後、さらに向上するでしょう。

では、自動翻訳の能力が向上すれば、外国語を勉強する必要はなくなるのでしょうか？　私は、決してそうではないと思います。とくに文学作品について、このことが言えます。

ゲーテの『ファウスト』は、英語に翻訳するだけで価値が下がってしまいます。ドイツ語によってしか、鑑賞ができないものです。一般に文学作品は、原語によってしかその価値が分かりません。詩はとくにそうです。

「日常生活であれば、意味が分かれば十分だ」という意見もあるでしょう。例えば、「店員が、

自動翻訳機で外国人旅行客と意思疎通できればよい」という意見もあるでしょう。また、事務的な文書については、自動翻訳によって意味を捉えられれば十分ということもあるでしょう。

しかし、そうした場合においても、自動翻訳に任せきりでなく、人間同士が話し合えるほうが望ましいことは、間違いありません。

## 外国語の勉強のための強力な道具が出現

私が重視したいのは、ＡＩの能力向上によって、外国語の勉強が容易になり、勉強するのが楽しくなったことです。

とりわけ重要なのは、外国語の音読が簡単に聞けるようになったことです。これによって、興味を持ち続けることが可能になりました。

ＡＩの自動翻訳によって、外国語の勉強が不必要になるのではなく、外国語の勉強がさらに進められるのです。

第3章で強調したように、外国語を勉強するための最も効率的な方法は、丸暗記です。問題は、丸暗記のための音源をどのように手に入れるかです。ウェブにはさまざまな音源がありますが、ほしいものが必ず手に入るわけではありません。

ところが、これについて、強力な道具が現れました。それは、「グーグルレンズ」と「グーグル翻訳」です。スマートフォンで写真を撮り、それを「グーグルフォト」に保存すると、グーグルレンズによって印刷物の文字をテキスト化できます。それをグーグル翻訳にかけて、読み上げ機能を利用すれば、音読が聞けます。これを用いて、外国語の印刷物を音読させることができます。グーグル翻訳は、日本語への翻訳はあまり精度が良くなく、「だいたいの意味が分かる」という程度なのですが、元の言語での音読は、かなり正確です。

これを用いれば、自分の好きな文章を音読させることができます。これまでは、自分の好きな文章の音読が必ずしも手に入るわけではありませんでした。ところが、この方法を用いれば、文学作品など、自分の好きな文章を簡単に聞くことができます。

# 3

# プログラムを作って、コンピュータに解かせる

## 文章以外にもコミュニケーションの手段はある

これまで、自分の考えを表現する主たる手段は、話すことと、文章を書くことでした。しかし、考えを表現する手段はこれらだけではありません。

文章以外のコミュニケーションの手段としてつぎのものがあります。

・数式
・プログラミング用のフローチャート
・図

これらについて勉強することも必要です。とくに、ビジネスパーソンにとっては重要です。

以下では、コンピュータのフローチャートを使って論理の整理を行なうことを考えます。

## 試行錯誤法のプログラム

ツルカメ算の解き方として、さまざまな数について条件が満たされるかどうかを確かめるという「試行錯誤法」があると、第1章で述べました。これを言葉で表せば、つぎのようになります。

（1）まず$x$を、例えば10と与えます。

（2）あらかじめ、$y=12-x$という計算式をコンピュータに覚えさせておき、これを$x=10$、$y=2$について実行させます。そして、$y=2$という答えを引き出します。

（3）また、$\Delta=2x+4y-38$という計算式をコンピュータに覚えさせておき、これを$x=10$、$y=2$について実行させます。そして、$\Delta=-10$という答えを引き出します。

（4）次のような判断をします。

・Δの絶対値があらかじめ決めておいたある一定の値以下になった場合には、計算を中止し、$x$と$y$の値を表示させます。

・Δの絶対値があらかじめ決めておいたある一定の値より大きい場合、Δが負であれば、$x$

の値を1だけ減らして、先の計算をもう一度実行させます。

・Δが正であれば、$x$の値を1だけ増やして、先の計算をもう一度実行させます。

このようにして、Δの値がある一定の値以下になるまで計算を繰り返すのです。これを「収束計算」といいます。

## プログラム内蔵型コンピュータ

前記の試行錯誤法は、一見したところ時間がかかるように思います。実際、このすべてを手計算でやっていては、答えが見つかるまでに大変な時間がかかる場合もあるでしょう。

ところが、このような計算の手続きをコンピュータに任せることができるのです。コンピュータには、計算式を覚えていて、「数値を与えると、覚えていた計算式に従って結果を計算する」という機能があるのです。これが、コンピュータが行なっている問題解決の方法です。

これが、PCが電卓やそろばんと本質的に違う点です。普通の電卓は、数値を記憶することはできますが、計算の方法を記憶することはできません。

数字だけではなく計算の方法を覚えているコンピュータを、「プログラム内蔵型」といいます。これは、数学者フォン・ノイマンによって発明されたもので、現代の計算機の基礎になるものです。

このような計算は、ＰＣでもできます。エクセルのような表計算ソフトに、前記の（２）、（３）の計算式を書いておき、（４）の判断を人間が行なって$x$の値をつぎつぎに変化させていくことによって、簡単に実行できます。

また、いちいち人間が判断するのでなく、表計算ソフトでそれを行なうこともできます。

## コンピュータが何をやっているかを図で見る

第１章の図１－２では、ツルカメ算を連立方程式によって解く方法を図示しました。この問題を逐次計算法によって解くこともできます（図６－１参照）。

この場合、点Ｆ（$x$=10）について足の数の合計を計算してみると28本になって、38本よりは小さい数になります。これは、$x$=10ではツルが多すぎることを意味しています。

そこで、$x$を小さくする。例えば$x$=9とする。すると点Ｆは左に動いていきます。このようにして点Ｆが点Ｅに至るまで、繰り返し計算を行うのです。

以上のように、プログラムを書いてコンピュータに計算させる方法は、さまざまな問題に適用することができます。

その一つの例として、図６－２には、方程式の数値解を求めることを示しました。

図 6-1　**逐次計算法**

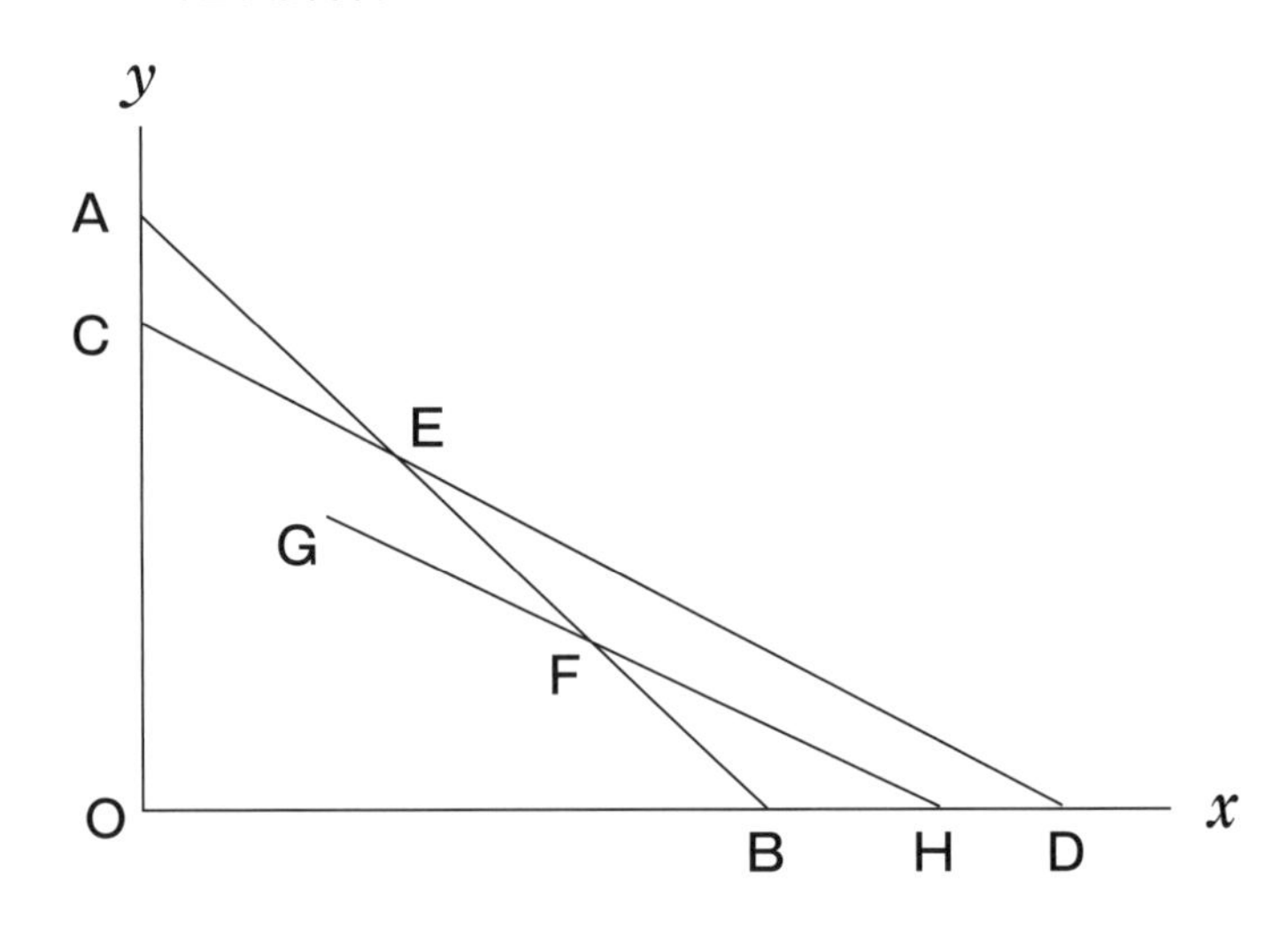


1. 試みに、$x=10$ と置いてみる。

2. すると、AB の式から、$y=12-10=2$ となる。これは、図の点 F だ。

3. 点 F で $2x+4y$ を計算すると、28 になる。図では直線 GH で表されている。

　これは直線 CD に一致していない。直線 GH を上方に動かすために、$x$ の値を減らす必要がある。そこで、つぎに $x=9$ と置き直して再計算。

　この手続きを、GH が CD に一致するまで繰り返す。

図 6-2　ニュートン法で数値解を求める

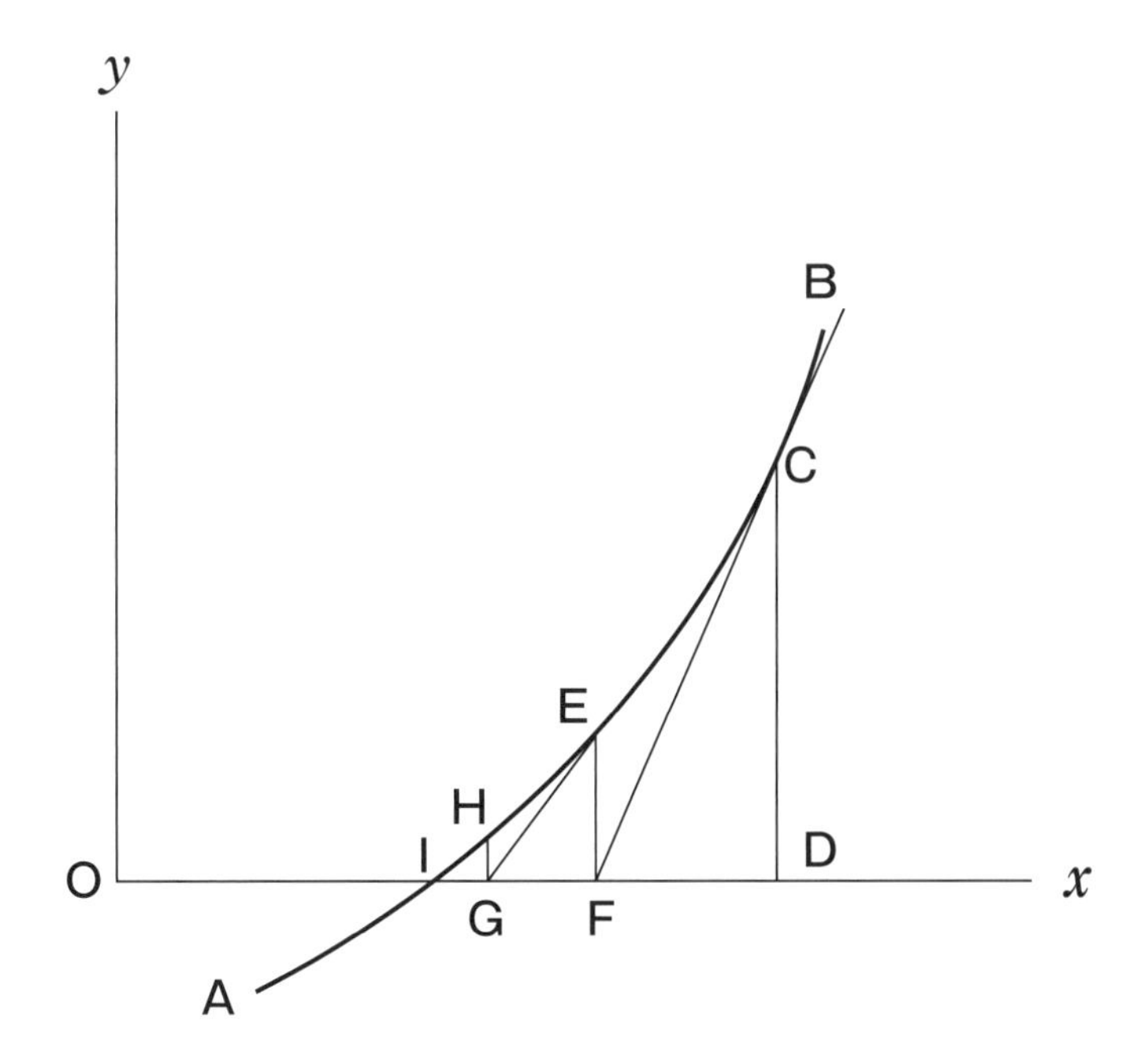

曲線ＡＢは、式で書けば、$y=f(x)$です。図の曲線は$f(x)$が２次関数である場合のように見えますが、もっと複雑な関数であっても構いません。

目的は、$f(x)=0$となるような$x$を求めることです。これは図でいえば、曲線が$x$軸と交わる点の$x$座標を求めることです。この問題は、つぎのようにして解くことができます。

まず、スタートとして、$x$を適当な値（図６－２のＤ）に決めます。ここから垂直線ＣＤを引き、曲線ＡＢとの交点Ｃにおいて、曲線ＡＢの接線を引きます。この計算は、微分法によって点Ｃでの曲線ＡＢの微係数を求めることです。

つぎに、いま引いた接線と$x$軸の交点Ｆを求めます。そして、点Ｆから垂直線を引きます。曲線ＡＢとの交点をＥとします。ＥＦの絶対値が、あらかじめ決めたある一定の値よりも大きければ、まだ解に到達したとはいえないので、もう一度同じ手続きを繰り返します。つまり、点Ｅにおける曲線ＡＢの接線を引いて、それと$x$軸の交点Ｇを求めます。

このようにして、垂直線の長さがある一定の値よりも小さくなるまで計算を続けると、曲線ＡＢと$x$軸との交点Ｉにいくらでも近づくことができます。

この方法は「ニュートン法」と呼ばれるものですが、曲線がある一定の条件を満たしていれば、どんな形のものであっても（微分可能である限り）、曲線と$x$軸の交点（の近似値）を求めることができます。つまり、$f(x)=0$という方程式を解くことができるわけです。

こうした方法は、機械学習のニューラルネットワークを作る方法にも通じるものです。

## エクセルで数値解を求める方法

エクセルの「ゴールシーク」という機能を使うと、このような収束計算を自動的に実行することができます。

これは、小中学生にはやや難しいかもしれませんが、高校生なら、2次関数を勉強しているので、できます。2次方程式の場合には公式によって解析解を求めることができるのですが、数値解を求めるというアプローチも、面白いものです。また、5次以上の高次方程式は、一般には解析解の公式がありません。ですから、数値解を求めるしかありません。

コンピュータが計算問題を解いてくれるので、面白くてやみつきになる子もいるかもしれません。ゲームをやっているよりずっと面白いと思います。

1970年代の初めに登場したHP（ヒューレット・パッカード）の小さな関数電卓HP35は、個人が使える世界で初めてのプログラム内蔵型コンピュータでした。私はそれまで大型コンピュータの使用で順番待ちをすることに悩まされ続けてきたので、自分だけが使えるコンピュータの登場に感激しました。その利用に夢中になり、これで解ける問題はないかと探し回ったくらいです。

小中学校の生徒に、こうした面白さを体験させるべきです。

## 学校のプログラミング教育で何を教えるべきか？

コンピュータの発展に伴って、プログラミング教育の必要性が増しています。日本でも、学習指導要領にこれが取り入れられました。２０１２年から中学校で、２０２０年から小学校でプログラミング教育が必修になりました。

これは、評価できることです。

問題は、どのようなことを教えるかです。

ＩＴ機器の使い方を教えるということもいわれているのですが、そんなことをしても無意味です。子供のほうがスマートフォンやタブレット端末の使い方をよく知っています。生徒のほうが、先生よりもずっと慣れていることでしょう。こうしたことではなく、これまで述べてきたようなプログラミングの思考法を教えるべきです。

ＩＴ機器が使いにくいのは、まだ完成された技術になっていないからです。その使い方をいま覚えても、将来になれば不必要になるでしょう。コンピュータはもっと賢くなり、人間がやりたいことを日常言語で伝えれば、それを理解してくれるようになるでしょう（すでに、部分的にはそうしたことが可能になりつつあります）。

第2章で、「重要な点に集中せよ」と言いました。プログラミング教育についても、そのことが言えます。何を重点的に教えるかが最も重要なことです。

## 4

# リスキリングで学ぶべきは、考え方の技術

### セミナー業者への補助策に終わらないか?

リスキリングが重要であると、さまざまなところでいわれるようになりました。岸田文雄首相も、２０２２年10月３日の所信表明演説で、リスキリングの支援に５年で１兆円を投じるとしました。

「リスキリング」とは、転職して新しい仕事を行なうために、あるいは、いまの仕事で必要とされるスキルが大きく変化していることに適応するために、新しいスキルを獲得することです。最近では、デジタル化との関連でのスキルが問題とされています。日本のデジタル化が世界の水準に比べて著しく遅れており、その遅れを取り戻すために、すでに仕事についた人も、新しいスキルを身につける必要があるということです。

**学び直しは大変よいこと**です。**日本経済が弱体化した最大の理由は、人的能力の劣化**にあり

ます。世界が大きく変わっているので、新しいスキルを身につけなければ、生き残ることはできません。

日本再生のためには、一人一人が、学校を出てからも、勉強を続けることが必要です。つまり、**日本が「勉強社会」になることが必要**です。

こうした時世を背景に、リスキリングのためのセミナーが、多数提供されています。そして、政府や自治体による補助制度がいくつも作られています。企業がこうした補助金を受け、社員にセミナーを受講させる動きが広がっています。

それによって、社員の知識は広がるかもしれません。しかし、社員のスキルが向上する保証はありません。結局は、セミナー事業者への補助だけで終わってしまうことにならないでしょうか?

## 評価する能力を身につけよ

問題は、何を学べばよいかです。これが一番難しい問題です。

文字通り、スキルを高めることを考えなければなりません。単に、知識を広げ、物知りになるだけではだめです。

また、提供されているセミナーのメニューから受動的に選ぶのではなく、一人一人が、何が必要かを能動的に判断することが必要です。

仕事に就いた後の再教育では、学校での教育のように、標準的なカリキュラムはありません。誰もが同じ内容を学べばよいわけではないのです。

時とともに学ぶべき内容が変化するし、目的とすべき水準や現在の水準は、人によって異なります。だから、目標としてどれだけの水準を目指し、そこに辿り着くのにどれだけの勉強が必要かは、人によって違います。

スマートフォンなどのIT機器の使用に習熟することが必要な人たちもいるでしょう。ただ、こうしたレベルで十分であるわけでは決してありません。

多くの人が、さまざまな変化に対応できる基礎的な知識を身につけることが重要です。

では、データサイエンスの最先端で何が行なわれているか、最先端のAIが何をやっているか、などについての知識が必要なのでしょうか？　企業のリスキリング教育では、そうした講座を行なっている場合が多いように見受けられます。

確かに、いま最先端で何が起こっているかを知るのは、よいことです。しかし、それを知ったところで、すぐに同じことをできるわけではありません。

では、ディープラーニングなど、コンピュータがデータから学習して能力を高める手法を学ぶ必要があるでしょうか？　しかし、最初からそれを目指すのは難しいでしょう。このように、カリキュラムの選択は難しいことです。

いま何が起きているかの知識は、新聞や雑誌、あるいはウェブを見ていれば分かります。問題は、毎日大量に生じるニュースの重要度を判断して位置づけ、それをどのように自分の仕事に反映させていくかです。

そのためには、物事を評価する考え方を獲得する必要があります。つまり、**重要なのは、「いま何が起きているか」を学ぶことよりも、それらを評価できる能力を身につけることです。**

## 「文系数学」が必要

こうした観点から言うと、**日本人の多くにとって必要なのは、数学の基礎的な訓練**だと私は考えています。

いろいろなことを知って教養を広げるより、物事の重要性を識別できるスキルや道具のほうが重要です。そうした道具として最強のものは数学です。

それにもかかわらず、数学は理工系の仕事に就くためには必要だが、それ以外の分野では必要ないと多くの人が考えています。

よく「私は文系だから、数学は必要ない」という言い訳を聞きます。しかし、これは間違いです。文系の仕事であっても数学が必要です。ただ、必要とされる数学が、理系の数学とは違うだけのことです。

私は、「文系数学」というものがあると思います。そして、日本では、この教育が著しく欠けていると思います。

理工系（とくに物理学系統）で必要とされる数学は、微分積分学を中心とした数学（解析学）です。これに対して、文系の仕事で必要なのは、線形代数学と統計学です。

これらは、データサイエンスやファイナンス理論を学ぶには、どうしても必要なものです。この訓練が足りないことが、日本がデータサイエンスやファイナンス分野で遅れをとる大きな原因だと、私は考えています。

## 理系数学では理解できなかった「危険分散の理論」

例えば、「分散」（variance）という概念は、統計学の基礎的な概念の一つですが、それを理解できていない人が多いのです。

ファイナンス研究科の面接入試で、「分散とは何か？」という質問に正しく答えられる受験生が3分の1程度しかいないのに、愕然としたことがあります。

分散とは、各データと平均値の差を二乗したものの平均で、データの散らばりを表す指標です。分散を知らないでファイナンスの勉強をしようとするのは、無謀としか言いようがありません。このために、平均収益率だけを見て、金融資産の優劣を判断するような誤りに陥ります。
実は、かつて私自身がそれと似た誤りに陥っていたことがあります。危険分散（risk diversification）がなぜ重要かが、理解できなかったのです。

この背景を説明しましょう。中世の世界で、地中海の航海は冒険航海でした。現代の用語でいえば、「ハイリスク・ハイリターン」でした。しかし、イタリアの商人たちは、決して無謀な航海を行なったわけではありません。リスクに対処したのです。それが保険の仕組みであり、株式会社の仕組みです。その基礎にあるのが、危険分散の理論です。

シェイクスピアの『ベニスの商人』で、アントニオは、自分の船を世界のさまざまな港に分散し、これによって危険分散を図っています。

『ベニスの商人』の物語を、私は大学生のときに知っていました。しかし、なぜ危険分散が良いことなのかを、明確には理解していませんでした。工学部の数学は解析学が中心で、統計学はおざなりにしか勉強しなかったからです。

危険分散の本当の意味を理解できたのは、ずっと後になって、ファイナンス理論を勉強してからのことです。そして、中世のイタリアで発達した危険分散の理論がヨーロッパを中世から脱却させたことを知って、感激しました。これは、「文系数学」がいかに強力であるかを示す証拠です。

ところが日本人には、この類の発想をできない人が多いのです。例えば、食糧危機に対処する最も重要な方策は、供給源を世界に分散することです。しかし日本では、まったく逆に、国内自給率を高めることが必要だと考えられています。あるいは、金融資産を、期待収益率だけで評価しようとします。そして、リスクを無視します。

危険分散の理論は、中世のイタリアですでに知られていたことであり、現代の最先端理論ではありません。しかし、その理論を知り、それを実際の仕事に活用できることは、現代の世界でも、間違いなく最強のスキルです。

これを学ぶのに、セミナーを受講する必要はありません。独学すればよいのです。**日本企業の全員が、統計学の基礎を身につけ、それを日常の仕事で活用するだけで、日本は大きく変わる**と思います。それは、社員がセミナーでデジタル化の最新事情を知るより、ずっと重要なことです。

# 5 音声認識の向上で、仕事の進め方が大きく変わる

## 音声認識に依存している人にとっては大ニュース

Siriは、iPhoneなどで用いられている iOSの音声認識機能です（iOSは、iPhoneで用いられているオペレーティングシステム）。先日（2022年11月）、iOS16.1.1が利用可能になったので、更新しました。更新して10分も経たないうちに、Siriの能力がこれまでとはまったく変わったことに気づきました。

ほとんど誤変換なしに文章化してくれます。一度誤変換しても、つぎの文章を入力すると、その内容に応じて、すでに表示している文章を正しく変換し直してくれることもあります。

これは、私にとっては大ニュースです。なぜなら、私の仕事は文章を書くことであり、しかも、文章作成の最初の段階で音声入力機能に大きく依存しているからです。

ところが、これまでSiriの能力は不十分な場合が多く、誤変換に悩まされ続けてきました。

これからは、事態が大きく変わりそうです。それは、私の仕事の能率に大きな影響を与えることになるでしょう。

## 私のスマートフォン利用は、ほとんど音声入力

Siriが日本語でも使えるようになったのは、2012年のことです。これがきわめて革命的な変化であることを、私は『話すだけで書ける究極の文章法』(講談社、2016年)で書きました。

いまや、私のスマートフォン利用のほとんどは、音声入力による原稿作成です。電話や検索、あるいは地図などよりも、はるかに多くの時間をこれに使っています。iOSを更新してすぐに音声入力機能の向上に気づいたのは、そのためです。

これまでのSiriは、きわめて誤変換が多かったため、音声入力で原稿を書いても、それを公表できるような文章にするために、長い修正の時間が必要でした。

音声入力するだけであれば、30分間散歩して3000字程度の文章を書くことは可能です。しかし、それを直すために何時間もかかるというのが、ごく普通のことでした。

文章を修正できれば、まだましです。画面を見ずに音声入力した場合には、出力された文章がまったく判読できず、何が書いてあるのか皆目分からないという場合も頻繁にあります。単

語が分からないだけではありません。文章全体が意味不明な単語の羅列になってしまっていることもあります。専門用語については、初等的なものであっても、正しく変換してくれません。

## 誤変換がほとんどなくなった

ところが、新しいSiriは、音声入力しただけで、読める形の文章を出力してくれます。判読不能な単語は、ほとんどなくなりました。通常使われているレベルの日本語であれば、ほぼ間違いなく変換してくれます。

これまでは、同じ誤りを何度も繰り返す場合が多かったのです。このため、Siriは学習能力を持っていないのではないかと考えていました。しかし、いまのSiriは、専門用語についても、繰り返し用いていれば正しく認識するようになりました。ということは、学習能力を持っているのではないかと考えられます。

スマートフォンの仮想キーボードからの入力は、学習能力を持っており、頻繁に使う言葉を変換候補の先頭に置いてくれます。また、言葉の一部を入力するだけで、推測して残りを示してくれることもあります。それと同じような能力を音声入力も獲得したようです。

## 「クリエイティング・バイ・ドゥーイング」という文章の書き方

文章を書くのに最も重要なことは、問題を捉えることです。何について、どのような観点から書くかが重要です。

原稿用紙に原稿を書いていた時代には、書き直しが面倒であったために、書き始める前に十分構想を練って考えを固め、それから書いていくというスタイルでした。

ところが、ＰＣを使って文章を書くようになって、書き直しが簡単にできるようになったために、とにかく書き始めて、後からそれを何度も修正するという書き方が可能になりました。こうした修正過程を繰り返しているうちに、正しい問題が何かを把握できる場合も多いのです。

私はこれを**「クリエイティング・バイ・ドゥーイング」**と称しています。これは、ＩＴ時代になってから可能になった文章の書き方です。

音声入力を利用すると、この書き方をもっと簡単に行なえるようになります。

これまでは音声入力の性能が低かったために、この方法の有効性が限定されていたのですが、それが大きく変わりました。「文章を書くほとんどの段階を、音声入力とその修正という形で進め、キーボードから文字を入力するのは最終段階」という文章執筆法の可能性が出てきました。

もっとも、実際にやってみると、キーボード編集に要する時間は、まだあまり短縮できません。これは、Siriの能力向上に対応する新しい使い方を、私がまだ会得していないからでしょう。それが分かれば、文章を書くのに要する時間も、これまでよりは大きく短縮されるでしょう。

## 音声入力で下書きすれば、書きにくいメールも書ける

音声入力の有効性は、原稿書きに限定されたものではありません。しばらく前から、事務連絡は、電話ではなく、メールによって行なわれる場合が多くなっています。ですから、メールを書くことは、ビジネスパーソンにとって大変重要な仕事です。

そして、音声入力機能の向上は、メールの書き方にも大きな影響を与えます。これまでのSiriでは誤変換が非常に多かったので、音声入力したテキストをそのままメールで送ることはできませんでした。しかし、現在のレベルでは、それが可能になっています。これは非常に大きな変化です。短いメールであれば、音声入力するだけで、送信できるような文章が得られます。

ところで、早く返事をしなくてはいけないのに、なかなか書く気になれないメールというものがあります。遅れれば遅れるほど、書きにくくなります。

これに対処する最善の方法は、音声入力でとりあえず書くことです。書き足りないと考える

のであれば、下書きにして保存しておけばよいのです。下書きであっても、文章の形で残っていれば、そこを出発点にして書き直すことによって、相手に出せるだけのメールになります。

## 何が重要なスキルかを見出す

事務文書の作成についていえば、かつては、きれいな字が書けるとか、漢字をたくさん知っていることなどが、重要なスキルでした。しかし、これらはいまや、ほとんど意味がないスキルになってしまいました。

それに代わって、キーボードを速く正確に打てること、スマートフォンでフリック入力ができることなどが、重要なスキルになったこともあります。しかし、そのようなスキルも、あまり意味がないものになりつつあります。

かつては重要だったスキルの優位性が低下します。そして、新しいスキルが重要になってくるのです。リスキリングとは、新しいスキルを身につけることです。そこでの**最重要事項は、何が重要なスキルかを判別すること**です。

音声入力にも、特有のスキルがあります。例えば、孤立した単語ごとに変換させるのではなく、意味がある長い文章を変換させることなどです。

修正の場合には、文章の一部分だけを修正しようとすると、誤変換される可能性が高い。そこで、一見して無駄なように思えますが、文章を全体として書き直すほうが効率的な場合が多いのです。また、長い文章を、ごく一部分だけ修正するのであれば、音声認識を用いずに、キーボードを用いるほうがよいでしょう。

## 音声認識は、業務の自動化に重大な影響

以上では、文章を書くという観点から、音声認識を考えました。普通は、音声認識機能は、文章作成というよりは、スマートフォンに対して簡単な指示を与えるために用いられる場合が多いでしょう。例えば、検索です。あるいは、アラームの設定などです。

こうしたことの発展として、音声認識機能は、さまざまな業務自動化において、大変重要な役割を果たします。例えばコールセンターの自動化です。

この場合にまず重要なのは、人間が自然言語で電話してきた内容を、コンピュータが正しく理解することです。この能力が向上すれば、コールセンターだけではなく、さまざまな業務を自動化することが可能になります。ロボットが、人間の音声の指示に従って行動するのです。

音声による外国語との自動翻訳の場合も、まずは話者が話していることを正確に理解することから始まります。

## 日本語のハンディキャップを克服できるか?

日本語の音声認識能力と英語のそれとの間には、かなりの格差があるように思われます。英語の場合には、利用者が多いことから、音声認識のためのデータが大量に蓄積され、その結果、音声認識機能が向上しているのでしょう。Siriの場合にも、これまで日本語の音声認識能力は不十分でしたが、英語の認識能力はそれよりも優れていたように思います。

こうした差は、今後も残るでしょう。それだけでなく、拡大する可能性もあります。右に見たような音声認識の業務における重要性を考えると、こうした差は、日本経済のパフォーマンスに無視できない問題をもたらすでしょう。これを克服することが、今後の課題です。

# 6 AIに論文が書けるか?

## AIが作った文章がランキング1位に

ＡＩは文章を書けます。スポーツの試合や株式市況の報道などでは、すでに実用化されています。

数年前に、ＡＩで文章を書くサービスを提供するサイトが登場し、個人でも使えるようになりました。さっそくテストしてみたのですが、そのときには、まるで使いものになりませんでした。「これなら、もの書きの仕事がＡＩに奪われる心配はない」と、安心しました。

ところが、２０２０年7月、アメリカの有名なニュースサイトHacker Newsに何本かの記事が寄稿され、それらの中には、アクセスランキングで1位になったものもありました。そして、記事の作成者であるカリフォルニア大学の学生が、記事はすべてＡＩが作成したものだと、自身のブログで告白したのです。

彼がＡＩに与えた指示は、記事のタイトルだけで、本文はすべてGPT-3というＡＩが作成しました。GPT-3は、イーロン・マスクらが設立したOpenAI社が開発した文章生成ＡＩモデルです。

## 小説は書けるだろうが、試験なら不合格

GPT-3を用いた日本語のソフトも、暫く前から利用可能になっています。

いくつかのキーワードを与えると（あるいは、元となる文章を与えると）、新しい文章を作成してくれるサービスが、ウェブにいくつか提供されています。

著作権は利用者にあるので、書いた文章をウェブなどで公開することも可能です。

文学賞に応募することもできます。日本経済新聞社が主催する文学賞「星新一賞」は、応募資格で「人間以外（人工知能等）の応募作品も受け付けます」としています。２０２２年に発表された第９回の応募総数は２６０３編。そのうち、ＡＩを利用して作られた作品が１１４編ありました。そして、同賞で初めて、ＡＩを使って執筆された小説が入選しました。

このようなニュースを読むと、私も、のんびりとしてはいられません。そこで、ウェブにある新しいサービスをいくつか試してみました。確かに、文章を出力してはくれます。しかし、支離滅裂で、使えそうなものにはなりませんでした。関連のある単語を含む文章が出てくるの

ですが、文章間の関連が理解できず、読めば読むほど、頭が混乱します。

GPT-3に、チャットの受け答えなどに関する追加の調整を行なって作られたのが、「ChatGPT」という言語モデル。文章で質問すれば、文章で答えます。小説のプロット作成、英会話の相手やプログラムコードの作成なども行なえるとされます。大きな反響を呼び、サービス開始からわずか2カ月後の2023年1月に、ユーザー数が1億人に達しました。

登録すれば誰でも利用できるので早速試したのですが、成績は芳しくありません。「公的年金のマクロ経済スライドとは何か?」と質問したところ、デタラメな答えしか返ってきません。「不満足な答え」というより、「まったくの誤り」です。試験なら零点で、不合格です。

ChatGPTはアメリカの医師免許試験（USMLE）やMBAのウォートン・スクールの最終試験に合格したという話があるのですが、日本語での成績は、まったくの期待はずれです。

## 論文作成ソフトが登場

現在のAI文章作成サービスは、もの書きの脅威にはなっていません。ただし、それは、現在の話です。AIの進歩は早いので、これからどうなるかは分かりません。

実際、ＡＩを用いた専門家用の新しいツールが、いくつか作られています。Manuscript Writerは、研究データを登録しておくと、論文の序文を作成します。データや研究ノートから、その人の研究テーマや研究手法を推測し、先行研究を関連ワードから特定します。それらのうち、公開されている文献の内容をまとめてくれます。

先行研究の要約はかなり機械的な作業なので、ＡＩに向いているといえるでしょう。これによって、論文を作成するために必要な時間を大幅に短縮することができるといわれます。ただし、論文の本体は、研究者自身が書かねばなりません。

## 問題を捉えることが必要

ＡＩの能力が将来向上するとしても、それが人間が文章を書く作業を全面的に代替するとは考えられません。

ＡＩが行なっているのは、「さまざまなキーワードのあらゆる組み合わせを試みて、そこから意味ある内容を引き出してくる」ということです。しかし、人間が文章を書く行為は、これとは本質的に異なるものです。

論文では、問題発見が最も重要です。そして、その問題について考察を進めて結論を導くために、どんなデータを使って、どのような分析をしたらよいかを決めることが必要です。これらに成功すれば、８割方成功です。

では、何が重要な問題なのか？　それは、アクセスランキングのトップにある記事のテーマではありません。それらは、多くの人が関心を持っているというだけのことです。

論文作成の最も重要な作業は、人間にしかできないと思われます。スポーツや株式欄の記事には、こうした要素がありません。これらは、データを与えれば定型的に書けます。また、小説の場合は、奇想天外な展開をしてもよい。こうした分野では、ＡＩが書く文章が今後増えていくでしょう。

しかし、論述文で奇想天外な展開をされたら困ります。事実に反することを事実であるように書いたり、論者の評価と違う評価をされたりしても困ります。これらは、執筆者本人がコントロールしなければならないものです。ですから、人間が関与せずに論述文ができあがるとは考えられません。

「これこれの問題について、人々をあっと言わせる論文を書いてくれ」と指示するだけで、あとは寝ながら待っていればよいというわけにはいかないのです。

## 音楽や画像では、ＡＩが創作を始めた

音楽や画像ではどうでしょうか？　ＡＩを用いた音楽制作プラットフォームは、いくつも作

られています。

ソニーコンピュータサイエンス研究所（ソニーCSL）は、iOS向けのAI作曲支援アプリ Flow Machines Mobile の提供を開始しました。「J-POP」「ジャズ／フュージョン」などと楽曲のジャンルを指定すると、4小節もしくは8小節のメロディをAIが自動生成します。この他にも数多くのアプリが利用可能です。

画像については、2022年の夏に大きな展開がありました。AIを活用して画像を作るサービスがつぎつぎと登場したのです。文字列を打ち込むだけで、きわめて高いクオリティーの画像が表示されます。

Midjourney と Stable Diffusion などの画像作成AIが公開されました。Stable Diffusion はオープンソース化されていて、営利、非営利を問わず、使用が許可されています。

8月に開催された第150回アメリカ・コロラド州の美術コンテストのデジタルアート部門で、Midjourney を使って作られた作品が1位になりました。作品を提出したのは、ジェイソン・アレン氏。ゲーム会社の経営者・ゲームデザイナーであり、アーティストではありません。芸術コンペに応募するのも初めてでした。作品制作に要した時間は、80時間程度でした。

AIが大量に画像を生成してくれるので、制作コストが下がります。デジタルアーツのクリエイターにとっては、大問題です。

## 人間の関与は不可欠。ただし、その内容が変わる

ただし、デジタルアーツの分野でも、人間の関与は不可欠です。重要なのは、「どのような絵がほしいのか」という指示文（「呪文」と呼ばれる）だからです。それによって成果物の出来映えが決まります。

実際、同じＡＩサービスを使っても、1位になった作品もあるし、選外になったものもあります。それらは、偶然の要素で決まったのでなく、人間の指示で決まったのでしょう。つまり、**必要とされる仕事の内容が、これまでとは違ってくる**のです。デジタルアーツのクリエイターたちは、いまそれを強烈に意識し始めているに違いありません。論述文の場合には、人間の指示がとくに重要です。その重要性は、音楽や絵画に比べて遙かに高いのです。

そうではあっても、仕事の性格は変わってきます。文章の場合も、ＩＴとインターネットの進展によって、作業に必要とされる技能も作業の内容も、すでに大きく変わっています。情報技術の進歩で、知的作業の内容が変わるのは、当然のことです。こうした変化は、今後もさらに続くでしょう。

## 生成系ＡＩの応用で検索エンジンに革命

本節で紹介したChatGPTや画像作成サービスは、「生成系ＡＩ」（ジェネレイティブＡＩ）

と呼ばれます。これは、データを基に、テキストや写真、動画、コード、データ、3D画像などの新しいコンテンツを数秒で生成するAIアルゴリズムのことです。

対話型生成系AIは、検索に大きな影響を与えます。マイクロソフトは、2023年2月22日、この技術を組み込んだ検索エンジン「ビング（Bing）」を公開しました。本節の最初で述べたように、ChatGPTは、私の質問に対して誤った答えを出しましたが、Bingは同じ問いに正しく答えました。しかも、対話をすることで、知りたいことをさらに深めていくことができます。検索エンジンに大きな革命が起こりつつあると実感します。グーグルはこれに対抗して、チャットボット「バード（Bard）」を公開するとしました。

本章の1で、「良い質問が決定的に重要になる」と強調しました。対話型検索エンジンが利用できるようになったので、質問の重要性がさらに増します。

進化した検索エンジンは、私の仕事を奪ってしまう「敵」ではなく、仕事を手助けしてくれる「味方」であると感じます。

# 第6章のまとめ

**1** AI時代の検索サービスは、聞けば何でも答えてくれますが、つまらない質問にはつまらない答えしか返ってきません。良い質問をすることこそ重要です。

**2** AI自動翻訳の時代においても、外国語の勉強は必要です。AIではできないことがあるからです。AIの進歩により文章を音読させることが可能になりました。外国語の勉強に大変役立ちます。

**3** コンピュータが問題を解く方法は、数学の解き方とは本質的に違うものです。プログラミングの勉強が必要です。

**4** リスキリングは重要なことです。ただ、必要なのは、デジタル化の最新事情などを知ることではなく、問題を分析する能力を習得することです。とくに必要なものとして、「文系数学」があります。

5 スマートフォンに向かって話すだけで文章を出力してくれるので、さまざまな仕事が大きく変わるでしょう。この機能をうまく使いこなせることは、リスキリングの重要な内容です。

6 AIが創造活動をできるようになっています。AIを用いて文章を書くサービスも提供され始めています。しかし、いかにAIが進歩しても、人間の関与なしに創造できるようにはなりません。重要なのは、創造的な仕事の内容が、これまでとは変わってくることです。

# 第7章

# いつまでも勉強を続けよう

# 1

# 「超」勉強法の3原則

## 勉強は方法が重要

これまでの章で、「勉強に時間をかけても成績が良くならないのは、方法を間違えているからだ」と強調してきました。

第1章では、「数学の問題の解き方を自分で独自に考え出そうとするのでなく、解き方のパタンを覚えて、それに当てはめればよい」としました。

第2章では、つぎのような方法は間違っていると述べました。

1　細部にこだわっている。そのために、全体が把握できない。

2　基礎を完全にマスターしてからでないと先に進めない。いまのところが分からないのは、その前が分からないからだとして足踏みする。あるいは逆行する。このため、好奇心が

**なくなり、勉強する意欲がなくなる。**

これらを逆転させて、つぎのようにすることが必要です。

**1　部分を積み上げて全体を理解するのではなく、全体を把握し、部分をそこに位置づけて理解する。**

**2　できるだけ早く全体を把握するため、8割分かったら先に進む。そのために、百科事典や入門教科書、ウェブ記事などの助けを借りる。**

## 「超」勉強法の3原則

第1、2章で対象としたのは、数学です。第3章で、英語についても基本的に同じ勉強法が有効であることが分かりました。

そこで、以上で述べたことを発展させて、つぎのような**「超」勉強法の3原則**とすることができます。これは、どんな勉強にも当てはまる原則です。

## 1　解き方や文章を暗記する

数学の問題は、解き方を自分で考え出さなくてよい。解き方を覚え、それに当てはめるだけでよい。解き方を考え出すよりも、質問を出すほうが重要。

英語の文章も、ひたすら暗記する。

## 2　重点化

平板に勉強するのではなく、重要なところを重点的に勉強する。

## 3　全体を把握する

部分を積み上げて全体を理解しようとするのでなく、できるだけ早く全体を把握して、部分を理解する。これによって、どこが重要かを正しく把握する。

# 2 いつまでも学び続けよう：勉強は楽しい

## 勉強は楽しい

前節で述べた3原則は、**勉強を楽しいものに変えます。**

解き方を考え出そうとしてできないと、数学嫌いになります。それに対して、解き方を当てはめるだけなら、数学の問題は簡単に解け、楽しいと感じます。先に進んで、それまで別々に理解していたことを統一的に理解できるようになると、快感を覚えます。

英語の勉強で、単語や文法ばかり勉強していても、面白くありません。勉強が苦痛になります。自分が好きな文章を暗記すれば、楽しくなります。このようにして、勉強を楽しいものにすることが必要です。

勉強を楽しいと感じられるようになると、これまで「敵」だと考えていた勉強が、実は力強い「味方」であることが分かります。勉強をすれば、必ずリターンがあります。それは、さまざまな場面で、あなたを守ってくれるでしょう。

勉強できる機会が与えられたのはありがたいことだと、感謝しましょう。

本書では、受験のテクニックに関係することを中心に述べました。こうしたテクニックは重要です。それらを無視してはいけません。「創造性や多様性が必要」などというお題目だけを唱えて、基礎的な訓練を怠ってはなりません。

ただし、試験で良い成績を取ることは、最終的なゴールではありません。それは、勉強を進めるためのインセンティブだと考えるべきものです。認められたと思えば人々はさらに努力します。つまり、**良い成績を取るのは、ゴールではなく、勉強を進めるための手段**なのです。

## 学び続けよう

社会は大きく変わっています。学校で学んだ知識だけで、いつまでも仕事を続けていくことはできません。

常に新しいことを学び続ける必要があります。勉強をするための仕組みも、大きく発達しています。ウェブには、さまざまな講義などが提供されています。

社会人になってから勉強を続ける際には、学校に通う必要はありません。「超」勉強法の3原則に従い、独学すればよいのです。

社会人になってからの勉強では、文系・理系という区別にあまりこだわるべきでないと思います。

日本では、文系・理系の区別を、大学受験時という人生の早い時点で決めてしまいます。そして、多くの人が自分でその区別に縛られています。会社も、雇用にあたって、その区別を重視します。

しかし、これは間違いです。例えば、経済学は文系だと考えられているのですが、そこで必要とされる基礎的なスキルは、むしろ理系のものです。また、第6章の4で述べたように「文系数学」というものも考えられます。

独学するのであれば、文系・理系の区別に縛られる必要はありません。そうした区別を超えた勉強に挑戦しましょう。

# 3

# 受験秀才で止まるな

## 現実の世界では、「問題を捉える」ことが重要

学生時代には、他のことをせずに、勉強だけを思う存分にすることが許されます。そこで勉強した内容は、一生の財産になります。そのような機会を与えられたことに感謝しましょう。ただし、入学試験に合格できても、勉強の成果をその後の仕事に活用できなければ、意味がありません。

ところが、学校の勉強と社会に出てからの活動とは、同じものではありません。これまでも述べてきたことですが、重要なのでまとめると、つぎの通りです。

第1に、学校の勉強には、カリキュラムがあります。何をやればよいかが決まっています。問題が与えられています。そして、(通常はただ一つの) 正解が存在します。これは、非常に特殊な状況です。

実際の社会では、問題が与えられていません。問題は、自分で探さなくてはなりません。適切な問題を見出すことこそが、重要です。研究者の場合には、何を研究テーマにするかが最も重要です。それを間違えると、一生を棒に振ってしまいかねません。

ところが、「問題を発見する能力」は、学校教育ではなかなか訓練できません。その結果、受験秀才は、問題が与えられればそれを効率的に解けるのですが、どんな問題に取り組んだらよいのかが判断できないのです。

しかも、問題に答えがあるとは限りません。答えがない問題を捉えてしまう危険があります。これらについてのカンを養うことが重要です。それは、受験に必要な能力とは違うものです。受験秀才はそれができず、「指示待ち人間」になってしまう危険があります。これが受験秀才の最も大きな問題です。このため、受験で成功しても、人生で成功するとは限りません。

## 受験や学校の試験にはバイアスがある

学校の勉強と社会に出てからの活動の違いの第2は、学校の勉強には、バイアスがあることです。

これは、英語でとくに顕著です。日本の学校教育では、日常生活や仕事で使う英語とは違う英語が求められています。

また、試験では、客観的採点の可能性が重要です。このため、問題の出し方に一定のバイアスがかかります。英語や国語では、長文読解が一番出しやすい問題です。ディスカッションをしたり、意見を述べたりすることが本当は重要なのですが、これを採点するのは難しいのです。

英語でも日本語でも、書くことは、実際の仕事の上で重要です。そして、重要性がますます強まっています。それにもかかわらず、書くための教育は学校では十分になされていません。

このように、学校の勉強とその後では、重要な点が違います。学者になりたければ、過去問に答えられるだけではまったく不十分です。過去問的な知識は、いまなら、ウェブを少し検索するだけで簡単に手に入ってしまうでしょう。しかし、それでは学者の仕事を進めることはできません。

他の仕事に関してもそうです。資格試験や英検（実用英語技能検定）などで良い成績を上げられても、それが仕事ができる能力を表すとは限りません。しかし、世の中には、これに関する誤解が根強く残っています。

## 「重要なこと」は変化する

現実社会での仕事が学校での勉強と違う第3点は、「重要なこと」が固定的とは限らないことです。「重要なこと」は、勉強の場合にはほぼ固定的なのですが、ビジネスの場合には、往々にして、大きく変化します。ですから、第2章の2で述べた2：8の法則を簡単には応用できないのです。

受験秀才が実社会で必ずしも成功しない大きな理由の一つは、この点に関して勉強と仕事が違うことを認識できていないことにあります。

ビジネスでの多くの失敗は、過去の成功体験に基づいて作られたビジネスモデルが固定化されてしまい、そこから脱却できないことから生じます。

日本の多くの企業が、高度成長期の成功体験記憶から抜け出せず、その後に世界経済が大きく変化したことに対応できていません。変化に気づきません。あるいは気づいたとしても、変えられないのです。

もちろん、学生時代に受験秀才であった人が、その後成長して、受験秀才の殻を破って成長する、という場合もあります。しかし、受験秀才の段階で成長を止めてしまった人も数多くいます。そうした人たちが大組織に入り、組織の中で権限を持つようになれば、組織は固定化し、社会は停滞します。

変化を正しく捉え、それに柔軟に対応できるシステムを作り上げることが必要です。

## 4 勉強の機会を奪うのは最大の社会悪

**人間は、生まれたときの階級を勉強で超えられる**

「はじめに」で述べたように、人間以外の動物は、生まれたときの地位を、一生超えられません。働き蟻は、死ぬまで働き蟻です（実際には、きわめて低い確率で例外現象があるようですが、事実上、無視できます）。

**人間だけが、教育を受けることによって、生まれたときの階級を超えられます。**

教育こそが、生まれつきの社会区分を突破できる武器です。貧しい家庭に生まれても、教育の機会を活用することによって能力を高め、多くの可能性を実現することができます。

教育を受ける機会を奪うことは、最も大きな社会悪です。私が留学生だった1960、70年代、アメリカでは人種差別が厳然としてありました。大学には黒人の姿がほとんど見られませんでした。

ところがいま、アメリカ連邦政府などの主要な地位に、黒人が進出しています。彼らは、教育によってその地位を獲得したのです。この点において、アメリカは偉大な社会だと思います。

## 貧困から脱出する手段を奪われた子供たち

もう何十年も前のことですが、バングラデシュを訪れたとき、首都ダッカで衝撃的な光景を目にしました。

本来であれば学校で勉強していなければならない時間帯に、子供たちが群がって、路上で物乞いをしていたのです。彼らは初等教育を受ける機会を奪われています。

初等教育さえ受けられない彼らに、未来はありません。彼らは、貧しさから脱却する手段を何も持っていません。

彼らの家族は、鉄道敷地内に不法に建てられたバラックに住んでいます。列車は、警笛を鳴らして人々を線路から追い払いながら、のろのろと進んでいます。こんな場所に住んでいるのは、盛土であるため、洪水が来ても水没しないからなのでしょう。もちろん、電気も水道もありません。病気になっても、病院には行けないでしょう。

彼らの中には、もし勉学の機会さえ得られれば、社会をリードしたり、画期的な発見をしたり、革新的なビジネスを興したりすることのできる人材がたくさんいるはずです。しかし、彼らにその機会は与えられず、生まれたときと同じ貧しさの中で一生を過ごすのです。これは、なんと大きな社会悪でしょう。

バングラデシュの初等教育進学率は、いまは向上しました。それでも、２０１０〜１９年の初等教育後期の修了率は、男性76％、女性89％です。後期中等教育になると、同32％、27％でしかありません。アフリカには、初等教育後期の修了率が50％未満の国がいくつもあります（Unicef、『世界子供白書２０２１』による）。多くの子供たちが、いまだに初等教育さえ受けられない状態に置かれているのです。生まれたときの貧困階級に一生固定されるのです。

## 勉強社会になることが、日本再生の最重要手段

いまの日本は、幸いにして、多くの人が教育を受けられる社会になっています。義務教育は、ほとんどすべての国民が受けることができます。大学への進学機会も多くの人に与えられています。

私が学生であった時代、日本の大学進学率は10％程度でした。大学に進学したくとも、家庭の経済的事情でできなかった者が大勢いました。高い能力を持ち、仮に大学に進学できたら、素晴らしい仕事をしたに違いない人たちが、その夢を実現できなかったのです。私は、そういう人たちを何人も知っています。

その後、日本経済の成長に伴って大学進学率が上昇しました。しかし50%程度になると、それ以降は伸び悩んでおり、世界の先進国の動向に遅れています。

つまり、日本人の誰もが望むだけの教育を受けられるかというと、いまでも、そうではないのです。経済的な事情によって大学進学をあきらめざるをえない人は、いまだに少なくありません。

実際、**日本は先進国の中では、低学歴国**です。とりわけ、アメリカに比べてそうです。アメリカの場合、能力がある人は、ほとんど経済的な負担なしに高等教育を受けることができます。このような社会を作ることが重要です。

これは、日本で奨学金制度が不十分であることによります。また、大学で学んで能力を高めても、企業がそれを適切に評価せず、大学教育の経済的なリターンが十分でないことにもよります。

経済的に余裕がある家庭の子供しか大学に行けないのは、悪しき社会です。日本は、そこから脱却する必要があります。勉強したいと思う人間が、経済的な負担なしに、学校で勉学する機会を得られることが重要です。**日本が勉強社会になることが、日本を再生させるための最も重要な手段**です。

## 第7章のまとめ

**1** 勉強は方法が重要です。「超」勉強法の3原則に従って、勉強を進めましょう。

**2** 勉強は楽しいものであり、あなたの味方です。いつまでも勉強を続けましょう。

**3** 学校の勉強が特殊である点

・何が問題かが分かっている（現実社会では、問題が何かが分からない）

・正解が一つだけある（現実社会では、正解がなかったり、複数ある場合も）

社会人になってからの勉強では、「何を勉強するか？」が最も重要。このため、受験秀才が社会に出てから伸びない危険があります。

4

人間は、教育を受けることによって、生まれながらの階級的制約を突破することができます。そうした機会が得られない社会は、悪しき社会です。

# 索引

## 英字



## ア行

## カ行

## サ行

## タ行

## ナ行



## ハ行

## マ行

## ヤ行



## ラ行



## ワ行

**野口悠紀雄**（のぐち・ゆきお）

1940年、東京に生まれる。63年、東京大学工学部卒業。64年、大蔵省入省。72年、エール大学Ph.D.（経済学博士号）。一橋大学教授、東京大学教授（先端経済工学研究センター長）、スタンフォード大学客員教授、早稲田大学大学院ファイナンス研究科教授などを経て、一橋大学名誉教授。専攻は日本経済論。

近著に『日本が先進国から脱落する日』（プレジデント社、岡倉天心賞）、『どうすれば日本人の賃金は上がるのか』（日経プレミアシリーズ）、『円安と補助金で自壊する日本』（ビジネス社）、『2040年の日本』（幻冬舎新書）ほか多数。

**note**

https://note.mu/yukionoguchi

**ツイッター**

https://twitter.com/yukionoguchi10

**野口悠紀雄online**

https://www.noguchi.co.jp/

# 超「超」勉強法

## 潜在力を引き出すプリンキピア

2023年3月31日　第1刷発行

著　者　野口悠紀雄（のぐちゆきお）

発行者　鈴木勝彦
発行所　株式会社プレジデント社
〒102-8641
東京都千代田区平河町2-16-1　平河町森タワー13階
https://www.president.co.jp/
電話　03-3237-3731（販売）

デザイン　水戸部 功
本文図版　朝日メディアインターナショナル株式会社

販　売　桂木栄一　高橋 徹　川井田美景　森田 巌　末吉秀樹
編　集　村上 誠
制　作　関 結香

編集協力　大川朋子・奥山典幸（株式会社マーベリック）

印刷・製本　中央精版印刷株式会社


ISBN978-4-8334-4050-9
Printed in Japan